AUTRES HORIZONS

RICHESSE OBLIGE

DU MÊME AUTEUR
CHEZ LE MÊME ÉDITEUR

Commis d'office, 2004

Toiles de maître, 2005

Ground XO, 2007

Comme au cinéma, 2012

La Daronne, 2017

Hannelore CAYRE

RICHESSE OBLIGE

Éditions Métailié
20 rue des Grands Augustins, 75006 Paris
www.editions-metailie.com
2020

Retrouvez-nous sur les réseaux sociaux :

© Éditions Métailié, Paris, 2020
ISBN : 979-10-226-1021-6

C'est dans la campagne sans lune, noir total,
que je l'ai vu pour la première fois le lapin vert
fluo, vert intense dans son champ abandonné,
menant sa vie, indifférent à l'idée de son étrangeté, dans un halo brûlant, comme quand on
ferme les yeux sur le souvenir de quelqu'un,
signal dans la nuit noire, petit point.

Olivier Cadiot,
Retour définitif et durable de l'être aimé

— Est-ce que tu crois que c'est une tenue correcte, ça, pour un enterrement ?

— Ben c'est mon plus beau survêt… Celui en velours ! Et toi, tu t'es vue ? On dirait… Mais, on s'en fout, non ?

Elle avait raison, Hildegarde, on s'en foutait. Nous avions l'air de deux shlagues, c'est vrai, mais quoi que nous choisissions de porter, de toute façon, tout le monde nous regarderait de travers.

Il y avait Juliette, ma fille, en vert kaki, qui était dans sa période tenue de camouflage. Pistache et Géranium, nos deux clébards hideux sans laisse ni collier avec des nœuds autour du cou. Hildegarde en survêtement noir en velours, donc, pour faire chic, avec des Nike noires taille 46 sur lesquelles elle avait dû passer un vague chiffon pour enlever la poussière. Et enfin moi avec mes nouvelles orthèses japonaises en titane qui me permettaient de me passer de mes béquilles. Pour le moment ma démarche ressemblait peu ou prou au pas de l'oie, mais ça s'améliorait de jour en jour. C'est sûr que tout ça détonnait au cimetière du Trocadéro, là où les de Rigny avaient leur caveau entre la famille Dassault et la famille Bouygues.

Vu que j'avais acheté l'encart le plus cher du *Figaro* pour annoncer en grande pompe le décès de tata, beaucoup de personnes étaient venues, mais aucune d'elles ne nous avait saluées. Mieux, il s'était créé entre ces gens et nous trois un vide, une sorte de cordon sanitaire qui leur permettait de s'isoler de notre infecte présence.

Qui étaient-ils tous ? Des copines de bridge ? Des gens qui enquillaient les événements mondains ? Des vioques venus célébrer la procrastination à mourir d'une de leurs idoles ? Aucune idée ! Huit mois que nous nous occupions d'Yvonne et nous n'avions jamais reçu la moindre visite dans son hôtel particulier à part celles de son notaire et de son banquier. Je suis néanmoins sûre que c'est nous que sa disparition affectait le plus. C'est qu'on s'y était attachées, à la vieille, surtout vers la fin où elle débloquait au point de nous chanter toute la journée, on ne savait pourquoi, *Les Nuits d'une demoiselle* de Colette Renard :

> *Je me fais sucer la friandise*
> *Je me fais caresser le gardon*
> *Je me fais empeser la chemise*
> *Je me fais picorer le bonbon*

Ce qui, à quatre-vingt-dix-huit ans, vous l'avouerez, ne manque pas de panache.

Quoi qu'il en soit, cela faisait quatre jours maintenant qu'elle était décédée et que j'étais devenue riche. Inimaginablement riche. Du coup, parce que les riches sont toujours pressés, je n'avais pas que ça à faire, glander dans un cimetière. Notre avion partait dans six heures pour notre nouvelle maison sise les îles Vierges britanniques – paradis fiscal –, et lundi prochain, parce qu'il est toujours important de faire commencer la fin du monde un lundi, on se mettrait au travail.

Devant ce caveau que les fossoyeurs ne prenaient même plus la peine de sceller tellement les de Rigny tombaient comme des mouches (six en moins d'un an tout de même), je pensais à notre ancêtre commun Auguste. Que son existence telle que je la chronique dans ces quelques pages soit ou non conforme à celle qu'il a vraiment vécue, que son caractère ait été tel que je le décris, n'a aucune importance.

Vous livrer ces quelques mois de la vie de cet attachant jeune homme toujours un peu à côté de la plaque est une façon de lui offrir la chair et l'immortalité qu'il mérite afin de le remercier du geste qu'il a accompli envers ma famille. De *l'extraire des ténèbres du passé et des abîmes du temps*, comme dirait Shakespeare. Il viendra ainsi rejoindre d'autres compagnons fidèles qui n'existent peut-être pas dans la vraie vie, mais simplement dans ces romans du XIXe siècle qui ont façonné ma réflexion politique et fait de moi ce que je suis.

Saint-Germain-en-Laye, 18 janvier 1870

Assis sur le rebord de son lit depuis plus d'une heure, Auguste observait fixement cette coûteuse nouveauté des Grands Magasins nommée *réveille-matin,* offerte par sa tante Clothilde pour ses vingt ans.

Parce que nous savons tous qu'il n'y aura jamais assez de coqs dans Paris pour vous tirer du sommeil, y avait-il écrit sur le petit carton malicieusement joint au paquet.

Il s'agissait d'une horloge insérée dans un boîtier ouvragé représentant des oiseaux de paradis. En contemplant cette invention, le jeune homme songea tristement qu'à bien des égards celle-ci bouleverserait l'existence de tous les noctambules qui comme lui peinaient à se lever le matin. La chose se réglait de manière à ce que le déclenchement de la sonnerie se fasse à un moment déterminé. Outre celle des heures et des minutes, une aiguille spéciale qu'on fixait la veille au soir marquait l'heure du lever. Auguste avait placé celle-ci devant le chiffre 7, une heure avant celle indiquée sur sa convocation pour aller tirer au sort.

Cette fameuse échéance avait commencé à le hanter dès le mois d'octobre, après qu'il se fut présenté à la mairie pour le recensement de la classe 1869, l'année de son vingtième anniversaire. Ne dessaoulant plus jusqu'en janvier, il avait essayé de ne plus y penser pendant les fêtes, puis il s'était surpris à l'espérer comme un dénouement à ses angoisses.

Le décompte des jours était enfin arrivé à son terme et c'était ce matin !

Ce matin il saurait enfin si le tirage d'un mauvais numéro l'obligerait à abandonner la Sorbonne, à échanger sa vie parisienne, ses plaisirs et ses bonnes paresses contre neuf ans d'un service militaire dégradant, dont cinq entouré de brutes, dans une caserne humide pourvue de mauvais lits.

La sonnerie de l'invention démoniaque le fit sursauter tout en lui tordant les viscères : *ceux qui ne se présenteront pas à l'appel à huit heures précises seront déclarés les premiers à marcher*, y avait-il écrit en bas de sa convocation.

Il aurait tant désiré que sa mère et sa sœur l'accompagnassent pour aller tirer, malheureusement ces dernières avaient été appelées d'urgence au chevet d'une tante souffrante. Son père, cloué à la maison par un mal de dos, ne pouvait pas non plus se joindre à lui. Restaient son beau-frère Jules, un ancien officier converti aux affaires, et son frère Ferdinand, un ambitieux vouant un culte dévot à l'argent et dont le passe-temps favori était de le pousser dans ses derniers retranchements jusqu'à ce qu'il explose. Ces deux-là, à supposer qu'ils eussent proposé de le réconforter dans l'épreuve, Auguste aurait catégoriquement refusé.

Les femmes de la famille ne l'avaient tout de même pas totalement abandonné puisqu'elles avaient fait dire une messe à Saint-Germain-de-Paris afin que la Providence le dispensât du service militaire. Évidemment, Auguste ne croyait pas en Dieu, encore moins depuis qu'il avait lu *De l'origine des espèces*, un livre lumineux venant scientifiquement réfuter la conception grotesque de la création divine de la vie, mais il se disait en secret que les quelques prières achetées par sa mère ne pouvaient pas non plus lui nuire.

15

Il s'habilla à la hâte et traversa la maison silencieuse tout en prenant garde de ne réveiller personne. Une fois passé le seuil, il remonta son col jusqu'aux oreilles pour se jeter comme on tombe dans le noir d'encre de ce matin d'hiver, mais à peine avait-il franchi la grille de la demeure paternelle que son imagination s'emballa. Il se voyait déjà marcher la peur au ventre vers une bataille comme en décrivait, pour effrayer les dames, un vieux grognard mal élevé que ses parents s'obstinaient à inviter à leur table ; un dénommé Pélissier, survivant de l'affreux siège de Sébastopol. C'est tout juste s'il n'en-trapercevait pas, nimbés par la clarté des becs de gaz, les cadavres des chevaux tordus par le gel ou en partie dévorés par les soldats.

Au fur et à mesure qu'il remontait la rue de la République, l'aube se peuplait de silhouettes dont les pas imprimés dans la neige convergeaient tous vers l'hôtel de ville de Saint-Germain-en-Laye. Devant la porte de l'édifice, des enfants jouaient à la guerre, distrayant les quelques militaires en faction. Ils chevauchaient des montures imaginaires et, armés de bouts de branche en guise de sabres et de boules de neige, s'élançaient en hurlant au-devant d'ennemis invisibles ; des Prussiens, disaient-ils.

Les accompagnateurs furent invités à rester à l'exté-rieur alors que tous les jeunes appelés étaient dirigés par des hommes de troupe vers le hall d'honneur. Là, atta-blés face au registre du canton contenant les noms de tous les garçons nés en 1849, les attendaient le maire ceint de son écharpe tricolore ainsi qu'un officier impa-tient flanqué d'une poignée de soldats.

Auguste alla rejoindre autour d'un gros poêle à charbon un petit groupe de bourgeois auxquels s'étaient naturellement joints les enfants de leurs domestiques. Il salua le fils Bertelot qu'il connaissait pour avoir eu un temps des vues sur sa cousine, ainsi que son ami d'enfance Duchaussois que son père citait inlassablement en exemple pour s'être tourné vers la magistrature. Il vit Berquet, Bruault et Fromoisin, des collègues de lycée... Portefaux, le fils du conservateur des hypothèques, était là aussi. Auguste le reconnut à peine tant il avait grossi : il visait la réforme pour obésité, disait-il. Il fut également surpris d'y voir celui que sa mère avait toujours appelé *le petit Perret*, le benjamin de leur jardinier qui se révéla être né la même année que lui. Les rejoignirent également les fils des commerçants de la ville. Il en connaissait certains pour les avoir côtoyés à l'église, pour avoir partagé leurs jeux lorsqu'il était plus jeune ou pour les avoir simplement aperçus dans l'arrière-boutique de leurs parents. Très vite un joyeux brouhaha s'éleva de ce premier cercle.

Plus loin, à une distance respectueuse du poêle, une foule de jeunes prolétaires vêtus de blouses d'usine, mais aussi quelques petits paysans fagotés comme pour aller à la messe, luttaient en silence contre le froid. Tous avaient fait l'effort de s'habiller proprement car s'il était toléré d'être pauvre, c'était à condition d'être bien tenu et de ne pas offenser le monde auquel on se mélange avec sa misère.

Auguste ne put s'empêcher de les observer à la dérobée.
"Comme ils sont nombreux", s'étonna-t-il. "Comme leurs manières sont gauches et leur silence buté. Comme leur attitude tranche sur l'aisance et la civilité des nantis. Pourquoi n'est-ce pas eux avec leurs pauvres vêtements si

mal taillés pour le froid, leurs corps émaciés, leurs mauvais souliers, qui venaient se réchauffer contre le poêle ?"

"Ces pauvres gars avaient, paraît-il, un prix. Combien pour ce robuste spécimen qui passait d'un sabot sur l'autre pour ne pas finir gelé ? D'ailleurs, est-ce que cet homme consentirait à se vendre, s'il ne devait pas partir pour son compte ? Considérait-il que se faire tuer à la place d'un fils de famille est 'une question de goût' comme le disait encore récemment M. Thiers à la Chambre ? Pensait-il que cela allait de soi comme céder sa place autour d'un poêle ?"

"Que tout cela est compliqué !" songea-t-il en soupirant.

En raison de la pression des pères de famille sur l'Empereur, et cela malgré son désir de moraliser le commerce des hommes, le principe de la liberté des transactions avait encore une fois triomphé à la Chambre.

Les députés libéraux avaient voté à une grande majorité en faveur du rétablissement du remplacement militaire tel qu'il était pratiqué avant l'avènement de Napoléon III. Ce n'était donc plus à l'État moyennant finance de se charger de trouver un remplacement aux garçons refusant de marcher, mais aux familles elles-mêmes. Il y avait bien eu le petit groupe socialiste mené par Jules Simon pour s'élever contre cette *traite des blancs* ; ce retour en force *des trafiquants de chair humaine*... mais dans l'indifférence générale. Les conservateurs, quant à eux, avaient brandi le spectre d'une guerre avec la Prusse. Sans que personne ne s'y attende, ce pays pourtant beaucoup plus petit que la France venait d'écraser en une seule bataille l'Autriche à Sadowa, et cela grâce à son service obligatoire et son armée d'un million deux cent mille hommes, mais eux aussi avaient prêché dans le désert.

Vers dix heures, l'officier présent commença l'appel en suivant l'ordre de la liste dégrossie des exemptions pendant qu'un soldat tournait la manivelle d'un tambour contenant les 127 numéros enfilés dans leur cosse de bois.

Chaque fois qu'un nom était appelé pour tirer, Auguste, à la fois paniqué et mauvais en calcul, sursautait et perdait le fil de son raisonnement : "Sur 167 recensés et 20 exemptés, sachant que le canton doit fournir 25 hommes et en imaginant qu'il y ait 10 réformés pour causes diverses, un numéro deviendrait vraiment mauvais à partir du double soit 50, il y a donc une chance sur…"

… De la petite bande du poêle à charbon, ce fut Duchaussois le premier à être appelé. Ce dernier avait pris soin de préparer, au cas où il tirerait un mauvais numéro, un document établi par un procureur général de la Cour impériale de Paris proche de sa famille, portant son engagement comme juge suppléant au tribunal de la Seine pour trois ans sans rémunération. Il tira un 10, fit valoir ses droits et fut exempté d'office.

Ensuite ce fut le nom de Portefaux qu'on appela… Après avoir hésité quelques minutes en marmottant on ne savait quelle incantation, le jeune homme fut rappelé à l'ordre et poussé d'autorité vers l'urne pour tirer. Lorsqu'il dépiauta le numéro hors de sa cosse, il se mit à sangloter de soulagement : le 120.

– Tu vas pouvoir t'y mettre, à ta diète, gros lâche, persifla le soldat qui se remit à tourner la manivelle du tambour.

Vers midi, ce fut enfin le tour d'Auguste.

À l'appel de son nom, son visage se décomposa. Charriant un corps qui pesait des tonnes, il s'approcha de l'urne, y plongea sa main, puis la retira comme si elle eût contenu de l'eau brûlante :

— Un 4, murmura-t-il, défait.

— Retenu ! cria l'officier avant de lui débiter d'une voix mécanique les articles du Code. Monsieur, vu votre numéro et à moins d'être réformé, votre position est définitivement fixée comme comprise dans le contingent. Le conseil de recrutement se prononcera le 18 juillet. Vous pourrez y présenter un remplaçant que vous aurez trouvé dans tous les départements de l'Empire. M. le Maire vous indiquera les conditions exigées pour son admission ainsi que les pièces à produire. Nous comptons sur votre zèle à remplir le devoir qui vous est imposé et nous vous rappelons les malheurs que votre désobéissance attirerait sur vous ainsi que sur votre famille.

Auguste resta figé devant le militaire, les yeux perdus, les mains molles, à la dérive. Puis un autre nom fut appelé et il fut contraint de bouger, bousculé par celui qui venait tirer à sa suite. Il quitta l'hôtel de ville sans saluer personne et d'ailleurs personne n'aurait désiré être salué par lui, car maintenant il portait la poisse. Abasourdi, il s'en retourna chez lui où l'attendait son père impatient de connaître les décisions à prendre.

D'un tempérament pourtant confiant et paisible, Casimir s'était toujours fait beaucoup de souci pour son plus jeune garçon.

Une fois que ce dernier avait passé le baccalauréat, il avait bien tenté de l'initier aux charmes de la construction des bâtiments publics – c'était de mémoire ce qu'un de Rigny avait toujours fait, du moins depuis Colbert – mais les yeux d'Auguste étaient restés à ce point vides à la vue de son dernier chantier qu'il en avait tristement conclu qu'il n'était pas du tout fait pour ce genre d'affaires. Le contraire absolu de son autre fils Ferdinand. Après avoir fait sienne cette extraordinaire invention juridique qu'était la société anonyme – faire des affaires sans être responsable de ses échecs –, son aîné avait accompli le prodige, à vingt-sept ans, de quadrupler ses avoirs en nageant avec l'adresse d'un vieux poisson dans les eaux troubles de l'attribution des marchés publics.

"Que faire de ce garçon à la sensibilité morbide qui ne s'envisage dans rien ?" se demandait souvent Casimir lorsqu'il lui arrivait d'observer son Auguste.

Il ne voyait qu'une explication au comportement si différent de ses deux enfants : là où Ferdinand avait grandi tant en force qu'en dynamisme, son jeune frère avait depuis sa naissance enchaîné coup sur coup toutes les maladies imaginables et, comme tous les enfants disputés à la mort, il avait été beaucoup trop gâté par sa mère.

Physiquement, Auguste était de la race des grands chats maigres avec un large front et des cheveux blonds en baguettes de tambour rejetés en arrière. Ses grands yeux bruns, brillants comme des marrons d'Inde, lui donnaient un air exalté comme dévoré de l'intérieur, avec en plus un petit quelque chose de féminin. Il se voyait philosophe ou poète, ou les deux. Il sortait des inepties particulièrement exaspérantes du genre : "J'aimerais bien apprendre un métier manuel afin d'aider le peuple en frère." Il prédisait qu'il mourrait à trente-trois ans comme le Christ et les dames trouvaient cela très amusant. Ses parents, beaucoup moins.

Après avoir transformé les repas familiaux en casse-tête en décrétant du jour au lendemain qu'il se mettait au régime pythagoricien, une alimentation qui consistait à bouder toutes les chairs animales, son dernier engouement en date était le socialisme, et plus précisément la pensée d'un philosophe exilé en Angleterre, un certain Marx, dont il rebattait les oreilles à tout le monde. Cette ultime lubie avait définitivement ruiné la quiétude de la maisonnée où les deux frères ne cessaient de se disputer en repoussant chaque fois plus loin les limites de l'acceptable. C'en était arrivé au point où Casimir avait dû supplier sa sœur Clothilde de prendre Auguste chez elle à Paris afin de l'éloigner de Saint-Germain, le temps que jeunesse se passe.

Celle-là non plus n'était pas exempte de défauts.

Pour commencer, la situation de son logement ne convenait pas du tout à une femme seule. Au lieu de s'établir dans un lieu comme il faut, dans le XVIe, le VIIIe ou le VIIe arrondissement de la capitale, Clothilde avait acheté un appartement qu'elle avait payé une fortune dans les nouvelles constructions d'Haussmann en plein quartier des Grands Boulevards, entouré de cafés et de théâtres. Pour ne rien arranger, elle se mêlait de politique. Républicaine acharnée, inconditionnelle d'un certain Léon Gambetta, un jeune avocat arrogant qui détestait viscéralement l'Empereur, elle traînait dans les prétoires et les clubs pour suivre ses interventions. Enfin, et pour compléter le tableau, elle était célibataire – *je veux rester une femme libre et non une pauvre dinde désargentée sous la tutelle d'un abruti –*, donc sans mari avec lequel Casimir eût pu raisonnablement s'entretenir pour la calmer, et à cinquante-six ans passés, c'était évidemment trop tard. Nonobstant ces quelques imperfections et le fait qu'elle ait sur les femmes de la famille une influence déplorable, elle restait néanmoins fréquentable, ce qui n'était malheureusement plus du tout le cas d'Auguste, qui en plus d'avoir transformé son foyer en champ de bataille, en était carrément arrivé à se dresser contre sa caste.

Optimiste de nature, Casimir avait parié sur la modernité de sa sœur pour guider doucement son jeune fils vers des positions plus modérées. Et puis, l'un veillerait sur l'autre, ce qui ne gâcherait rien.

Lorsque Auguste débarqua la mine déconfite dans la salle à manger, le repas était déjà servi et les trois hommes de la famille, son père, son beau-frère Jules ainsi que son frère aîné Ferdinand l'attendaient pour commencer.

— Alors ? fit Casimir, anxieux.

— Vu la tête qu'il fait, ça doit être le bidet ! railla Ferdinand.

— Tu vas être content, j'ai tiré un 4, répondit Auguste dans un souffle avant de se laisser tomber sur son siège.

Son père le rassura :

— Ne t'inquiète surtout pas, j'avais pris les devants en provisionnant, comme je l'avais fait pour ton frère, les 2 000 francs exigés par l'État pour régler ton exemption. Mais puisque avec cette maudite loi nous devons aujourd'hui nous débrouiller tout seuls pour te trouver un remplaçant, j'aurai largement de quoi payer un marchand d'hommes pour nous en amener un bon. Je me suis déjà rapproché de la Compagnie Kahn & Levy, place Sainte-Opportune, qui dit-on en regorge.

— C'est dans ce torchon publié par votre ami Tripier que vous avez trouvé vos trafiquants de chair humaine israélites ? fit le beau-frère Jules.

— Entre une réclame pour la toise Naudia et la méthode simplifiée pour apprendre l'allemand ! renchérit Ferdinand.

— *L'Assurance* n'est pas un torchon mais un journal de pères de famille. Le conseil de recrutement aura lieu le 18 juillet, ce qui nous laisse, à nous tous, et j'insiste sur ce point, à NOUS TOUS, six petits mois pour trouver un remplaçant à notre cher Auguste.

Personnellement, Casimir avait gardé un très mauvais souvenir de la période qui avait précédé le tirage au sort de sa classe. Une brouille avec sa mère qui, pour le punir, refusa fermement de lui payer un remplaçant au cas où il tomberait sur un mauvais numéro, l'avait laissé dans l'expectative jusqu'au dernier instant. Il se rappelait encore avec angoisse le jour où, dans la salle de ce même hôtel de ville, il avait plongé, vingt-trois ans plus tôt, une main tremblante dans l'urne. Heureusement, le sort lui fut favorable et il tira un bon numéro. Il ne partit donc pas. Les événements de 1848 ne firent qu'accentuer son soulagement : "J'ai senti le vent du boulet dans mes cheveux", avait-il coutume de rappeler. Il n'était donc pas question de faire subir cette mauvaise expérience à ses fils, surtout à Auguste qui, compte tenu de sa faible constitution, survivrait encore moins qu'un autre à la vie de caserne.

— Avec la Prusse qui nous fonce dessus comme une locomotive, m'est avis que les prix vont grimper et que vos petits 2 000 francs seront impuissants à attirer tous les rabatteurs que vous voudrez. Croyez-moi, ça n'est pas gagné, précisa le beau-frère Jules qui s'y connaissait en matière de conscription pour avoir gâché un tiers de son existence à barboter dans la morne routine de la garnison.

— C'est sûr qu'avec les rumeurs de guerre, ces maquignons gagnent plus à acheter et à revendre des hommes qu'à trafiquer des bestiaux, approuva Ferdinand la bouche pleine.

Bien que tous les regards convergeassent vers lui, Auguste contemplait le fond de son assiette comme s'il s'était agi d'un gouffre. Son père posa une main rassurante sur son avant-bras et fit doucement :

— Penses-tu que nous ne sachions pas ce qui te tracasse ? Le remplacement militaire est une bonne chose en ce qu'il contribue justement à rétablir cette justice sociale qui t'est chère. Il fait tomber l'argent des mains de ceux qui en possèdent, dans celles, vides, de ceux qui n'en ont pas, pour au bout du compte donner à l'armée un bon soldat au lieu d'un mauvais. N'écoute pas les sottises que les socialistes que tu fréquentes t'auront mises en tête. En les soustrayant à l'air impur de leur atelier et à la mauvaise nourriture, le service n'a que des bienfaits pour les prolétaires alors qu'il compromet la santé des fils de bourgeois et ruine leur carrière. Cette rupture d'égalité dont tu nous parles sans cesse réside justement dans cette idée absurde du service pour tous.

Ferdinand intervint :

— Il y a une façon bien plus simple d'expliquer tout cela à mon cher frère : le prolétaire qui a un vrai travail, il ne deviendra jamais remplaçant. La question ne concerne donc que l'ouvrier sans ouvrage qui par essence est un gars dangereux. Il n'y a pas à chercher là-dedans ni quoi ni qu'est-ce : c'est nous sauver du chaos que de claquemurer dans les garnisons ce surplus de racaille ! N'est-ce pas… Auguste…

Et devant l'accablement de ce dernier, Casimir de conclure tout bas comme s'il conversait avec un malade :

— Dis-toi que c'est du temps que nous t'achetons et non un homme…

25

— Du temps pour peaufiner tes grandes théories gauchistes dont la société profitera sûrement un jour, railla impitoyablement Ferdinand, déclenchant un fou rire violemment contenu chez le beau-frère Jules qui manqua de recracher sa soupe sur la nappe.

— En caserne, on jalousera Auguste pour son instruction et on le dédaignera pour ses qualités ! s'énerva son père.

— Ses qualités ? Quelles qualités ? fit son frère, feignant de glaner des réponses autour de la table.

Et puis tout à coup, comme frappé par la foudre, Casimir sursauta :

— Mais bien sûr ! s'écria-t-il. Comment n'y ai-je pas pensé plus tôt ?! Pourquoi ne pas demander au petit Perret de te remplacer ? Si ça se trouve, on lui a attribué un numéro favorable. Et dire que nous nous apprêtions à envoyer des gens à l'autre bout du pays alors que la solution se trouve peut-être là, chez nous ! Adèle… ! Adèle… !

Pendant qu'il criait, il cognait le sol avec sa canne pour appeler la bonne :

— Adèle… ! Adèle, nom de Dieu !

— Oui, monsieur…

— Adèle, où est le jardinier ?

Jusque-là silencieux, Auguste frappa soudainement la table de son poing en faisant sursauter toute l'assistance :

— Il suffit, c'est odieux ! Le fils Perret n'a pas à partir à ma place ! Jamais je ne l'accepterai ! Sa pauvre famille n'a pas à payer l'impôt du sang alors que nous, nous avons les moyens de nous en affranchir pour le prix d'une loge à l'année à l'Opéra.

— Aaaaah, nous y sommes ! gronda son frère.

Et prenant à témoin les deux autres :

— Le moment est enfin arrivé où il va nous entretenir de la misère humaine !

26

Et Ferdinand de se saisir de la louche pour remplir à ras bord l'assiette d'Auguste jusqu'à en faire déborder le contenu :

— Tiens, reprends donc un peu de cette excellente soupe afin de nous parler à ton aise de tous ces pauvres gens car, après tout, il n'y a rien de mieux qu'une bonne table ornée de fleurs et d'argenterie pour nous inspirer des émotions socialistes. Allez, vas-y, nous t'écoutons ! Parle-nous par exemple... de tes amis du café de Madrid... Ou, ah, comment il s'appelle déjà ce Juif honteux qui paraît-il a commis un traité sur le droit au vol ? Marx, c'est ça ? Voilà, parle-nous un peu de ton Monsieur Marx !

Auguste, excédé, quitta immédiatement la table, les poings serrés, la bouche gonflée de tous les mots abominables qu'il aurait aimé cracher au visage de son frère, mais il se contint par égard pour son père qu'il jugeait déjà suffisamment accablé pour la journée.

Il l'entendit encore hurler alors qu'il fuyait dans sa chambre.

— ... Et vous qui restez là sans rien dire... "J'aime le peuple", qu'il nous crie, ce crétin... Au lieu de tout lui passer et de le laisser à la garde de cette folle de tante Clothilde, vous devriez sévir ! Parce que quand il se mettra en tête d'aller édifier la gueusaille de ses grandes vérités sur le Beau, le Vrai et le Juste... Quand on vous le ramènera de Paris en pièces sur la planche d'un char à bœufs... Tout le monde va pleurer ici... Tout le monde, sauf moi ! Et puis j'en ai assez de bouffer cette nourriture de serf lorsque Monsieur nous fait l'honneur de venir !

Et Ferdinand de faire valser ses couverts au travers de la nappe et de quitter la table.

Jules observait dubitativement son assiette :

— C'est vrai que sans lard, cette soupe n'est pas très goûtue !

En hâte, le jeune homme rassembla les quelques affaires qu'il avait emportées avec lui et sortit de la maison au pas de charge pour ne pas rater le train qui le ramènerait à Paris. Mais une fois arrivé à la gare, voyant la foule amassée dans la rotonde, il constata que beaucoup de promeneurs avaient profité du soleil pour aller voir les paysages enneigés. Il ne trouverait par conséquent aucune place en première ni peut-être même en seconde pour rentrer. Restait la troisième, même s'il n'était pas assez couvert pour se joindre aux commis et aux ouvriers dans le wagon sans toit.

Il y avait là, regroupée dans cette gare construite non sans ironie par Casimir de Rigny lui-même, toute la société française en miniature. Une femme en sabots chargée d'une nichée d'enfants sales côtoyait sur le même banc une grande dame revenant d'excursion flanquée de sa bonne et de son rejeton aux airs de poupée. Un honnête mari de Saint-Germain-en-Laye qui allait tromper la monotonie conjugale à la capitale cédait sa place à une jeune danseuse de l'Opéra-Comique s'en retournant chez son vieux protecteur. Une kyrielle d'aspirants milliardaires et de jeunes artistes des chefs-d'œuvre plein les poches croisaient à la gare leurs sosies aux souliers éculés de retour chez eux, maudissant Paris. Les voleurs étaient aussi du voyage, guettant là le sac à main qu'on oublie de surveiller, ici le portefeuille qui dépasse…

Tout ce théâtre était aux antipodes des préoccupations d'Auguste qui se voyait déjà mort, absurdement seul, son corps empalé sur une baïonnette prussienne au beau milieu d'un champ.

Aussitôt les portes ouvertes, les compartiments furent pris d'assaut. Le jeune homme, qui avait acheté son billet à la dernière minute, échoua, comme il le pressentait, dans le wagon de troisième. Il fit le début du trajet coincé entre deux solides ouvriers puant la sueur, s'amusant beaucoup de cette proximité avec un jeune jouvenceau parfumé. Puis arrivé au Pecq, on eut pitié de lui parce qu'il était bleu de froid et on le changea de wagon pour le coller en seconde. Là, il se réchauffa, noyé dans un essaim de jeunes filles morigénées par leurs mères. Elles revenaient d'une rencontre arrangée avec quelques partis alléchants de Saint-Germain-en-Laye, et malgré les photos envoyées d'avance, les billets de train, les investissements en tenues et en rubans, on n'était arrivés à rien conclure. "Non, vraiment, c'est que vous n'y mettez pas du vôtre !" vitupéraient leurs mères. Les filles n'écoutaient pas, se contentant de glousser en regardant Auguste à la dérobée jusqu'à la gare Saint-Lazare.

1

À peine étais-je montée dans le TGV que déjà tout m'emmerdait.

Comme je n'aime pas la proximité des gens, je ne m'assieds jamais à la place qu'on m'attribue, avec mes jambes qui touchent celles de mon voisin, sans parler de la bataille de l'accoudoir. Je ne supporte pas. Je préfère les strapontins de la plateforme, même si on n'y est rarement tranquille parce qu'elle est souvent envahie par des cons qui en profitent pour se lâcher ou par des vieux qui, à peine partis, téléphonent pour dire qu'ils arrivent... *J't'entends plus là, et toi, tu m'entends ?*

Ce jour-là, c'était quatre filles sorties tout droit d'un clip de rap qui se prenaient en photo sous toutes les coutures. Par curiosité je suis allée voir sur Instagram #TGVParis-Brest comment elles s'idéalisaient, ce qu'elles déballaient comme attributs à la grande foire à la séduction du XXIe siècle. Mais au beau milieu de ces images de filles en mode croupes cambrées, bouches chaudes et arrondies prêtes à toutes les stimulations imaginables, quelqu'un avait posté une photo de moi prise à la dérobée, en train de les observer.

Moi, dans ma minirobe noire à poches, mon bombers, mes jambes appareillées et mes petites bottines à talon, perdue dans un nuage de dindes multicolores. L'erreur de casting complète. *Emily the Strange* invitée à un goûter d'anniversaire de tchoins.

Et en plus je tirais une de ces gueules...

Il faut dire que je n'étais pas au top de ma forme. On venait de me mettre en arrêt maladie parce que j'avais manqué de me faire couper en deux dans le sens de la largeur par une rame de métro et, pour ne rien arranger, j'étais en route pour la corvée suprême, à savoir l'anniversaire des quatre-vingt-cinq ans de mon père.

Et le voyage était loin de se terminer : une fois à Brest, il me resterait encore une heure de car et une heure et demie de bateau sur une mer démontée. Et comme je savais d'avance que malgré l'emmerdement ultime que représentait ce long trajet je dérangerais, on imagine ma motivation.

Je connaissais le scénario par cœur : une fois là-bas mon père ferait semblant d'être heureux de me voir, puis après les banalités d'usage... *T'as mangé quoi dans le train ? Y avait du monde sur le bateau ? Tu repars quand ?* Il n'aurait plus rien à me dire. Je ferais : *Et toi, ça va ?*, tout en sachant que j'ouvrirais les vannes des doléances. Avec Mamie Soize on appelle ça *la plainte kaléidoscopique* : des phrases qui, prises isolément et dites sur un ton neutre, ont l'air purement informatives... *Tu sais, j'ai été chez le docteur... Le matin, quand je mange, j'ai le vertige... Dédé, on va lui couper les pieds et les mains à cause du diabète...* et qui une fois rassemblées produisent le motif effrayant du sort qui s'abat sur lui. Il tapote un peu, et paf, tout s'agence autrement et ça recommence... Et le plus terrible, c'est que cela ne s'arrête jamais.

À Brest, pour changer, il pleuvait. Une pluie biblique qui tombait à l'horizontale avec le vent du large qui vous fouette le visage dès que vous posez le pied hors du train. C'est là, sur le quai, que je les ai remarqués pour la première fois, les trois Parisiens. Il faut dire qu'on ne voyait qu'eux avec leurs jolis petits imperméables déperlants, à tenter de résister aux trombes d'eau. Deux hipsters poilus dont un à lunettes ainsi qu'une grande fille toute simple aux cheveux longs et soyeux.

J'ai clopiné jusqu'à la gare routière aussi vite qu'il m'est permis et je suis montée dans le car qui puait le chien mouillé. Là, les anciens m'ont sauté dessus. *Et ça fait si longtemps ! Et t'es blanche comme un cul ! Et elle est où ta fille ? Et blablabla…* Heureusement que dans la région, ça n'est pas quatre bises qu'on claque mais une, car j'ai dû m'enquiller toute l'allée… Et la porte de se refermer au nez des trois Parisiens dégoulinants, dans l'indifférence générale, le car étant prioritairement réservé aux insulaires de retour chez eux.

Une fois au port, tout le monde est descendu d'un seul mouvement et s'est engouffré dans la gare maritime pour attendre au sec que l'embarquement se fasse.

Ma vieille copine Tiphaine était là, assise sur un banc, en train d'engueuler ses enfants pour qu'ils cessent de malmener le distributeur de café. C'est en voyant la taille de sa petite dernière que je me suis rendu compte que je n'étais pas retournée voir mon père depuis un bail. J'avais le souvenir d'un bébé alors que c'était une petite fille coiffée d'un ananas en cheveux qui me dévisageait, campée sur ses deux pieds alors que je m'interposais entre elle et sa mère.

J'ai embrassé mon amie en prenant dans mes bras son corps plein et généreux et je me suis dit en un éclair que mon île m'avait manqué.

En général lorsque l'on revoit des vieilles connaissances après une longue séparation, on se sent un peu mal à l'aise, genre captif d'un lien pas toujours évident à renouer, mais ce n'est jamais le cas entre les gens d'ici. Je pense que c'est parce que, en coupant nos familles en deux depuis des siècles, les hommes en mer dans la Royale ou la Marchande et les femmes à terre à s'occuper des enfants, la vie insulaire nous a façonnés de telle sorte que nous avons développé un don spécial de communication avec les absents.

Ainsi, après m'avoir simplement demandé où j'en étais restée dans le grand feuilleton de l'île... Était-ce avant qu'ils ne refassent le mur du cimetière ou après que le Spar ait fait faillite ?

– Ah oui, quand même, c'est vrai que ça fait un bail que t'es pas revenue !

Le poids du temps qui s'était écoulé depuis ma dernière visite obligeait Tiphaine à aller à l'essentiel : qui est mort, qui trompe qui avec qui, qui s'est noyé, qui a été évacué en hélico... Tant de tragédies pour une si petite surface... On pourrait la soupçonner de faire la part belle aux événements dramatiques ; eh bien non, là-bas, c'est vraiment comme ça, il arrive tout le temps des trucs épouvantables !

Nous sommes tous montés à bord sous la pluie battante, y compris les trois touristes qui sont arrivés en catastrophe en taxi.

Je me suis rendu directement à l'avant du bateau et me suis allongée sur une enfilade de quatre sièges, les yeux fermés, la tête calée sur un pull... Oui, j'ai le mal de mer. J'ai tout essayé : chimie, hypnose, simulateur, même le truc qui consiste à faire la sieste au pied d'un pommier ; c'est pour dire comme j'ai lutté, mais mon corps, non content d'être pour moi un canasson rétif, m'a assignée d'office à terre.

Les Parisiens étaient assis à quelques mètres de là où j'étais couchée et comme je n'avais rien d'autre à faire de la traversée que d'écouter leur conversation, je me suis laissé bercer par leurs échanges.

J'ai compris qu'il s'agissait d'un couple qui avait amené avec lui leur copain, le hipster à lunettes, pour lui changer les idées. La grande fille toute simple avait concocté un programme qu'elle énonçait point par point tout en montrant les spots à visiter sur une carte de l'île. Une personne était décédée et il semblait qu'il s'agissait de la copine du lunetteux parce qu'il parlait avec colère du père de feu sa chérie, un député de droite qu'il surnommait *le gros enculé*, et de son attitude pendant l'enterrement. Il aurait profité de la cérémonie comme s'il s'était agi d'une garden-party, allant de groupe en groupe flanqué d'un serveur qui distribuait des coupes de champagne, afin qu'on les tirât lui et son fils de leurs emmerdes judiciaires. Puis il a été question d'un tremblement de terre au Népal. Des noms de villes dont je n'avais jamais entendu parler ont été évoqués. Alors que le couple qui avait l'air d'être versé dans l'humanitaire parlait d'un désastre sanitaire, celui qui avait perdu sa copine citait, amer, la loi du mort-kilomètre : plus c'est loin, plus le drame doit compter de victimes pour intéresser un minimum de gens. Le séisme au Népal avec ses quelques centaines de morts dont sa nana écrasée par des tonnes de pierres, personne n'en avait rien à foutre.

Allez savoir pourquoi, je me suis endormie avec comme ritournelle dans ma tête ces deux vers de Philippe Muray dans *Tombeau pour une touriste innocente :*

> *Rien n'est jamais plus beau qu'une touriste blonde*
> *Juste avant que sa tête dans la jungle ne tombe*

C'est son pote Fañch et sa R14 que mon père avait envoyé pour me chercher au bateau. Il a embarqué mon sac à l'arrière et à peine j'avais posé mes fesses sur le siège passager qu'il a commencé à me prendre la tête :

— Tu sais, ton père il est vieux, des anniversaires il n'en aura plus beaucoup, il faut venir plus souvent sinon tu le regretteras un jour... Et puis quand tu viens, viens plus longtemps et emmène ta fille...

Toujours cette propension à vous foutre les fers aux pieds à chaque fois que vous rentrez chez vous, me suis-je dit.

— Il t'a dit qu'on lui manquait, c'est ça ? je lui ai renvoyé dans les dents. Il m'a bougonné un truc en retour, sa fraise d'ivrogne plongée dans les poils de son épagneul debout entre lui et le volant, et puis il s'est tu.

Il faut dire que ce que l'on nommera *le sujet Blanche*, ici, sur le caillou, où chacun se sent responsable des mômes des autres, ne serait-ce que parce que, en vase clos, ils grandissent sous vos yeux, *le sujet Blanche*, donc, ne laisse personne indifférent.

Dans une communauté fermée il y en a toujours un par génération qui fait chier. Le genre d'engeance toujours impliquée dans la grosse affaire du moment. Quand une résidence secondaire est visitée ou qu'une bagnole brûle... Lorsque des langoustes disparaissent des viviers ou que les murs de l'embarcadère sont tagués en pleine saison de propos orduriers contre les touristes... Bref, dans la génération de ceux nés dans les années 80, la chieuse historique c'est moi : Blanche de Rigny.

Il y a eu ma fugue, bien sûr, lorsque, à l'issue de la énième engueulade avec mon père, celui-ci a voulu me coller en internat sur le continent avant la fin du collège. Trois jours de battue. Les hélicoptères de la sécurité civile tournoyant autour des côtes de l'île. Toutes les embarcations mises à l'eau, jusqu'à la plus petite annexe, pour chercher méticuleusement mon corps au pied des falaises, alors qu'âgée de treize ans, j'étais partie faire la manche à Paris. Déjà.

Mais surtout et avant ça, il y a eu ma naissance.

Elle a eu lieu en plein coup de tabac, comme à chaque fois qu'il se passe un drame dans cette putain d'île. Mon père était au large de l'Afrique quand ma mère s'est mise à avoir une hémorragie, et comme avec cinquante nœuds de vent, il est impossible de faire passer un hélicoptère, les sauveteurs en mer ont dû la conduire sur le continent par bateau. Je n'étais pas née, évidemment, mais cette histoire on me l'a tellement racontée que je me vois debout entre les jambes des épouses de marins, en train de regarder glisser sur ses rails le canot orange et vert qui l'emportait vers l'hôpital. Le récit dit qu'aucun gars de la SNSM n'a hésité ; que leurs femmes pleuraient parce qu'il y avait des murs d'eau et qu'elles avaient peur de ne jamais revoir leurs maris vivants. Pendant la traversée ma mère s'est vidée de son sang devant les hommes impuissants. Elle est morte avant d'arriver, mais moi, grand prématuré de six mois, j'ai survécu. C'est un marin de la SNSM qui m'a déclarée à la mairie de Brest, et pour ne pas commettre d'impair, il m'a donné le prénom de ma mère : Blanche. On raconte également que lorsque, quelques jours plus tard, mon père est revenu pour l'enterrement, les sauveteurs en mer étaient tous venus l'accueillir à la descente du bateau avec un air désolé de comme si c'était de leur faute. C'est eux qui ont porté le cercueil, dans leur uniforme orange. Le curé a dû laisser la porte de devant ouverte tellement l'église était pleine. Dans ce énième drame de la mer, l'île faisait bloc autour du veuf, père d'une toute petite fille qui se battait seule en couveuse sur le continent.

À y repenser, c'est peut-être pour ça que je suis malade en bateau.

Après l'enterrement, le paternel est reparti aussi sec pour une de ses plus longues campagnes, me confiant à Mamie Soize, sa tante, la femme qui m'a élevée et qui a pris en charge tous les soucis de mon quotidien. Il n'a pris sa retraite de la Marchande qu'archi contraint, lorsqu'il n'y a plus eu que des armements de bateaux poubelles remplis de Philippins pour vouloir d'un vieux comme lui.

J'avais douze ans lorsqu'il a commencé à vivre à plein temps avec nous et inutile de dire qu'il était carrément le malvenu, son infect machisme tombant totalement à plat après une vie d'absence.

Chaque endroit suscitant des destins qui lui sont propres, j'ai dû inconsciemment sentir avant ma fugue qu'il fallait à tout prix que je me casse de cette île où il arrivait toujours des drames avant qu'une calamité ne s'abatte sur moi, *in personam*... Parce que ça n'a pas loupé.

Une histoire somme toute assez banale, et justement, extrêmement insulaire, pour ceux qui connaissent... Les gendarmes n'étant pas encore arrivés pour la saison estivale, nous en avons donc profité pour nous adonner à un de nos loisirs favoris de gosses désœuvrés, à savoir conduire bourrés et sans permis une des voitures garées à l'embarcadère sur le contact desquelles pendent toujours les clefs. Et c'est parti, roulez jeunesse... J'étais avec des gars et une des filles du camping et pas des jeunes de l'île parce que sinon un truc pareil ne serait jamais arrivé.

J'étais assise, ou plutôt écroulée à l'arrière et, malheureusement, trop saoule pour me rendre compte que le con qui conduisait nous emmenait sur le chemin côtier.

Il n'a tout simplement pas vu que la terre finissait là. *Finis terrae.* Boum ! dans les falaises. Les deux mecs de devant sont morts écrabouillés et la fille à côté de moi brûlée vive, parce qu'elle avait eu la prudence de s'attacher et qu'elle est restée coincée. Quant à moi, comme je n'ai jamais eu la prudence de rien, je suis passée par la lunette arrière lorsque la voiture a fait des tonneaux et je me suis brisé la colonne vertébrale.

Paris, 12 juin 1870

Torturé par une angoisse indicible, Auguste passait des nuits affreuses depuis qu'il était tombé au sort.

De ce jour maudit, il avait gardé son réveille-matin réglé sur 7 heures, mais au moment où celui-ci sonnait, n'ayant dormi qu'une heure ou deux, il l'éteignait pour se recoucher et ne parvenait à s'extirper de son lit qu'en fin d'après-midi. Toujours migraineux, il n'avait pas mis les pieds à la faculté depuis deux mois et les rapports avec sa tante Clothilde s'en étaient considérablement dégradés.

Cette dernière, d'une humeur pourtant excellente pour avoir passé en revue la nouvelle collection aux Grands Magasins du Printemps, vit ce matin-là sa joie irrémédiablement gâchée pour la journée lorsqu'elle pénétra dans son salon, trouvant comme la veille et l'avant-veille son neveu gisant sur son sofa tel un ballot de linge, en train de geindre une serviette mouillée enroulée autour de la tête.

D'un soupir sonore, elle lui fit comprendre son exaspération.

— Par pitié, ma tante, ne criez pas ! Mon crâne me fait à ce point souffrir que j'en suis à me demander si une bête ne se serait pas cachée dans mon oreiller pour se repaître de mon cerveau pendant la nuit.

Elle balaya ce qu'elle venait d'entendre d'un geste excédé :

— Vous avez reçu une lettre de votre père.

— Oh ! lisez-la-moi... fit Auguste d'une voix mourante. Je puis à peine ouvrir les yeux.

— J'en ai plus qu'assez que vous preniez mon appartement pour un hôtel de cure où l'on ne fait que dormir le jour et blanchir son linge. Lisez-la vous-même, cette lettre ! Et elle ramassa l'enveloppe sur la table pour la lui balancer à la figure.

Auguste attendit qu'elle fût sortie de la pièce pour décacheter le pli.

Les nouvelles n'étaient pas bonnes.

La société de remplacement israélite place Sainte-Opportune, qui soi-disant regorgeait d'hommes à vendre, s'était avérée une impasse : elle avait été pillée et n'en proposait plus un seul, alors qu'on avait versé un acompte de 1 000 francs. M. Levy avait fini par rembourser, mais le problème restait entier car partout dans Paris les agences se retrouvaient dans la même situation de pénurie. Il fallait donc se débrouiller sans elles. Son père avait eu alors l'idée d'envoyer à tous ses fournisseurs un courrier les enjoignant de se renseigner auprès des aubergistes, des cochers, des cordonniers et des curés... Toutes les professions en rapport avec du monde, pour savoir s'ils connaissaient des ouvriers sans ouvrage qui consentiraient à se vendre à un père de famille. Malheureusement, là non plus ça n'avait rien donné.

Il avait également écrit à un lointain cousin du Pays basque, mais le droit d'aînesse avait fait là-bas un tel ravage que tous les jeunes hommes disponibles étaient partis s'installer en Amérique. Dans les contrées agricoles comme la Normandie et le nord de la France, rien non plus, les seuls remplaçants libres étant rachetés localement à prix d'or par les propriétaires de ferme pour leurs fils.

On lui conseillait de chercher plutôt du côté des grandes villes. À Bordeaux, un de ses fournisseurs de pierre avait été à deux doigts de lui en trouver un. Le fils d'un marchand d'eau qui lui-même avait tiré un mauvais numéro mais qui, du fait qu'il avait un frère au service, en était délivré et était donc libre de s'engager. Mais alors que l'affaire était prête à se conclure, un notaire lui avait ravi l'homme moyennant la somme astronomique de 10 000 francs.

On lui conseillait également les anciens militaires, très prisés par les conseils de recrutement au moment du remplacement. Dans l'Orne, ses émissaires avaient donc cherché la perle rare et fini par trouver un conscrit qui aurait pu prendre la place d'Auguste ; un nommé Roussel, réformé pour mal de jambe, mais qui depuis deux ans s'était refait une santé. Il mesurait cinq pieds trois pouces, avait des incisives et des canines intactes, bien qu'assez laides, une tendance aux hémorroïdes, mais ses jambes étaient devenues, disait-on, irréprochables. Son prix était à débattre avec l'oncle qui l'hébergeait, mais celui-ci ne voulait rien entendre en dessous de 9 000 francs dont la moitié à titre d'arrhes, ce que Casimir trouvait trop cher, compte tenu de la complexion discutable du candidat. Pourtant l'homme trouva très vite preneur et fut acheté par le rabatteur d'une compagnie d'assurances parisienne venu racoler jusque dans la région.

À chaque fois qu'ils ont été près de conclure, c'est l'éloigne-ment qui a fait que l'affaire a capoté. J'ai personnellement fait trois marchés à Laon, Orléans et Beauvais qui n'ont pas tenu pour des raisons liées à l'espèce de gens avec qui j'ai eu à traiter et j'y ai laissé en tout, avec les trois voyages, l'hébergement, les arrhes, les rabatteurs et les repas qu'il a fallu leur offrir, pas moins de 800 francs.

Une chose est certaine à présent : on ne trouve plus à des milliers de lieues à la ronde le moindre cinq pieds un pouce à moins de 8 000 francs. Mais ne t'inquiète pas pour cela, nous t'arracherons à cette maudite conscription et je suis sûr que tu pourras bientôt remercier le mari de ta sœur qui a pris les choses en main. Comme ancien militaire, il connaît les cabarets où ces gens boivent et sait mieux que quiconque leur parler. Il s'est proposé de partir à Toulon qui est le point de débarquement des contingents d'Afrique, mais ta sœur s'y est opposée. Cette ville, paraît-il, est devenue un cloaque où se fournissent tous les marchands d'hommes de la capitale. Lorsqu'un bateau arrive, les agents des compagnies d'assurances et les rabatteurs débarquent les poches pleines d'or pour arracher leur signature aux soldats affaiblis par les fièvres tropicales et débilités par le long voyage en mer. Là, ils les attirent dans des bouges où on les drogue et où on leur fait dépenser le prix du remplacement qu'on ne leur a pas encore versé en prostituées et en orgies. Le courtier qui les a fait boire leur promet 6 000 francs et ne leur verse que la moitié, le reste compensant leur débauche calculée à un taux usuraire. Ensuite, il les revend 10 000 francs aux pauvres pères de famille prêts à n'importe quel sacrifice pour sauver leur garçon. De toute façon j'ai lu dans le journal de mon ami Tripier que les conseils de recrutement avaient reçu des consignes très strictes pour refuser ces soudards tarés rejetés par l'Afrique.

Ton beau-frère a donc choisi la Bretagne où, paraît-il, d'anciens amis lui doivent des services. Il leur a écrit. Nous attendons.

Auguste poussa un soupir élégiaque en repliant la lettre de son père, puis se leva :

– Ma tante, je sors !

Pas de réponse.

Il la croisa dehors devant le porche de l'immeuble mêlée à tous les habitants de la rue du 10-Décembre, en extase devant une cohorte de cuirassiers chevauchant droits et fiers leurs montures. Le reflet du soleil printanier sur les cuirasses, les vibrations du sol sous les pieds des chevaux faisaient qu'il y avait dans l'air comme un frisson de bataille galvanisant les badauds au point de les faire brailler *À Berlin ! À Berlin !* jusqu'à l'extinction de voix.

Clothilde, qui d'habitude l'accablait de questions dès qu'il mettait un pied dehors, ne lui jeta même pas un regard, tant elle était occupée à contempler les visages bronzés sous les casques, les muscles puissants, les poitrines bombées des soldats. Il l'observa en coin et constata avec horreur que, malgré ses cinquante-six ans, elle frémissait de désir et aspirait toutes narines ouvertes l'odeur forte de ces bêtes de combat.

— Ma tante, je sors ! insista-t-il exprès, en élevant le ton.

— J'ai réinvité les Gonthier-Joncourt avec leur fille à mon mardi. Je comptais vous en parler. J'entends que vous soyez à votre meilleur.

— L'amour est une chose bien trop importante pour épouser n'importe quel laideron afin d'échapper au service. De plus, *soutien de famille* est une cause de dispense à faire valoir AVANT le tirage au sort et non après ! C'est donc trop tard.

— Vous m'auriez écoutée…

— Rappelez-moi, ces gens fabriquent des briques, non ? Ou bien ils sont dans la houille ? Ou dans les brevets ? Si je puis me permettre, ma tante, vous êtes mal placée pour me parler mariage, vous qui vous y êtes toujours opposée !

— Ça n'a rien à voir et vous le savez très bien. Si les femmes se marient encore, c'est parce qu'elles ignorent la loi. Mais vous, vous n'êtes pas une femme. Et oui, ces gens sont dans la houille, alors que vous, je vous le rappelle, vous n'êtes dans rien. Et la dinde qui rêve qu'un jour un crétin lui ravisse son héritage, c'est Eulalie, fille unique de ses parents, et le crétin de l'histoire j'aurais aimé que cela soit vous !

— Mlle Eulalie a déjà la carrure d'un solide notaire de campagne, à seulement dix-neuf ans, imaginez de quoi elle aura l'air lorsqu'elle en aura trente. Et puis c'est une gentille fille qui mérite sûrement mieux qu'un homme qui ne l'aimera jamais.

Sa tante haussa les épaules et souffla.

— Vous ne la prendrez à personne, la Gonthier-Joncourt, et elle le sait très bien. Et ses parents aussi. Une union avec une jeune fille correcte, fût-elle ingrate, en vous offrant les rentes de votre passion pour... pour la réflexion philosophique, vous sera bien plus utile que vos bamboches avec les pas-grand-chose qui traînent dans vos cafés socialistes. Vous voulez consacrer votre existence à réfléchir ? Soit. Un de Rigny peut faire de sa vie ce qu'il veut, mais il lui est interdit d'être pauvre !

Clothilde énonça cette maxime familiale sans même regarder son neveu alors qu'un cuirassier lui adressait un sourire de bête concupiscente qui lui enflamma le visage. Auguste en fut carrément gêné.

— Bien, je vois... Je vous laisse donc à votre contemplation bestiale... Bonne soirée, ma tante. Et il se dirigea vers son quartier général, à savoir le café de Madrid, boulevard Montmartre.

2

C'est donc chez Mamie Soize que je loge lorsque j'arrive sur l'île et surtout pas chez mon père. Petite dernière d'un second mariage, elle a beau être sa tante, elle n'a que huit années de plus que lui. Elle n'a jamais eu d'enfant à elle, mais elle m'a eue moi.

À la voir trottiner dans le bourg avec son imperméable beige et ses petites bouclettes grises bétonnées de laque, on lui donnerait entre soixante-quinze et quatre-vingt-cinq ans. Lorsque cette histoire a commencé elle en avait quatre-vingt-treize. Je tiens à préciser que nous avons sur notre île où les habitants cumulent vie saine et lien social – on mange ce qu'on cultive dans son potager et tout le monde fourre son nez dans les affaires du voisin – un record national de centenaires. Droite comme un I et tirée à quatre épingles même pour acheter son pain, son souci a toujours été le maximum de dignité en toutes circonstances. Vous la croiserez à 9 h 30 à la boulangerie, à 9 h 45 à la supérette, à 9 h 50 à la Maison de la Presse pour prendre son *Ouest-France* et à 10 heures au cimetière pour dire bonjour à la famille.

On dit qu'elle a eu un grand amour, un amour comme il ne s'en présente qu'une fois dans une vie, mais que celui-ci est parti en mer et qu'il n'est jamais revenu.

> *Longue journée*
> *Ses yeux sont fatigués*
> *De regarder l'océan...*

Enfin, ça c'est ce qu'on dit ou plutôt c'est ce qu'elle a toujours voulu faire croire, mais je la soupçonne de partager avec les femmes d'ici une vision à la fois réaliste et résignée de l'espèce masculine : un faux bourdon utile qu'à faire des enfants.

Sinon, question caractère, c'était le genre à balancer ses quatre vérités à tout va parce qu'elle trouve que la plupart des gens se la jouent et manquent totalement de modestie. Avec l'âge et l'absence mathématique d'avenir que cela implique, son manque de filtres la rend limite ingérable.

On dit que sur ce point, je tiens d'elle. C'est sûrement pour cette raison que je n'ai pas de mec et pas seulement parce que je suis handicapée et que j'élève un enfant, seule. Je ne suis pas ce qu'on appelle un canon, c'est vrai, mais je ne suis pas moche pour autant : de taille moyenne avec une puissante musculature à cause de mes béquilles, j'ai une belle chevelure que je coiffe en chignon, un look sympa et les yeux bleus de ma mère. Et lorsque je marche, un marin m'a dit un jour que je lui évoquais le tangage paresseux d'un voilier sur une mer scintillante de soleil, ce qui, vous l'avouerez, est une description assez cool de ma personne.

Il paraît que physiquement je ressemble à ma vraie grand-mère, Rose, la demi-sœur de Mamie Soize, la mère de mon père, morte bien avant ma naissance.

Dans les années 30, un jour de brouillard à couper au couteau, cette dame s'est illustrée avec extravagance en sauvant une vingtaine de marins d'un navire marchand qui s'était échoué. Elle a sauté à l'eau tout habillée et a remorqué à la force de ses bras ce qui restait d'une énorme chaloupe où ils avaient tous trouvé refuge. Des cartes postales d'époque célébrant l'événement sont à vendre à la Maison de la Presse. On y voit Rose en coiffe et costume traditionnels, le torse bardé de décorations.

Petite, les adultes autour de moi me prédisaient que j'allais beaucoup lui ressembler, ce qui me flattait dans la mesure où je la trouvais vraiment très mignonne. Sauf que ça n'était pas ma grand-mère qui figurait sur ces photos. Le photographe a dû penser qu'être une femme de caractère était incompatible avec la grâce qui seyait à l'événement, parce qu'il a choisi une beauté de l'île avec des airs de niaise pour poser à sa place, avec ses médailles…

En fait, il n'existe qu'un seul cliché de cette valeureuse Bretonne. On la voit rayonnante, debout aux côtés de son mari, car contrairement à Mamie Soize et à moi, ma grand-mère Rose a été follement heureuse en amour. C'est vrai qu'elle n'avait pas l'air commode sur la photo et qu'il y a un air de famille, mais c'est surtout mon grand-père qui captivait le regard : un morceau d'homme tel qu'on n'en voit que sur les planches des livres de médecine de guerre. Un vieil estropié de 14-18 qu'on avait placé sur un tonneau parce qu'il lui manquait les jambes et aussi une partie du visage. Renan de Rigny ; parfaite illustration de notre proverbe insulaire à propos de la rareté des hommes : *Croche dedans si tu peux, il n'y en aura pas pour toutes !*

C'est donc à ce poilu que nous devons un nom de famille aussi singulier, alors que les gens d'ici, en allant au plus près pour se marier, s'appellent presque tous Cozan, Botquelen, Tual, Miniou, Malgorn ou Jezequel. Ça aurait dû m'interpeller, mais comme notre appartenance à la communauté insulaire n'avait jamais fait un pli, comme nous faisions la pluche aux fêtes du village, que nous allions à tous les enterrements et que nous connaissions les fâcheries sur mille générations, nous étions d'ici, voilà tout.

— Alors, comment elle va, Juliette ?

C'est toujours la même entrée en matière avec Mamie Soize à mon arrivée alors qu'elle manie WhatsApp comme une déesse et qu'elle parle à ma fille tout le temps. C'est parce qu'à distance je crois qu'elle ne comprend qu'un mot sur cinq de ce qu'elle lui dit vu qu'elle est sourde comme un pot mais qu'elle est trop coquette pour l'admettre.

— Et toi ?

— Très bien. Je suis passée chef de la reprographie, mais il semble que je te l'ai déjà dit plein de fois, non ?

— T'es toujours pareil, toi, hein ? Mais est-ce qu'au moins tu vois des gens ?

— Si par *gens* tu entends *est-ce que j'ai trouvé un mec pour s'occuper de Juliette ?*, la réponse est non. Je n'en ai pas besoin. Il y a bien assez de ma copine Hildegarde et de sa famille. Et aussi mes voisins. Le 6e étage de mon immeuble, c'est comme ici, c'est un petit village.

Parlons un peu de mon infirmité. Trois opérations hyper douloureuses à seize, dix-huit et vingt et un ans et une série de plaques de métal plus tard, ma moelle épinière est très endommagée. C'est ça qui rend mes déplacements fastidieux et qui fait que je me tiens debout avec des orthèses qui me prennent les jambes jusqu'en haut des cuisses et deux cannes pour m'aider à marcher. Je souffre tout le temps, mais grâce à la dureté de Mamie Soize et à force de me faire traiter de *pignou*, j'ai appris à ne pas me plaindre, au point que je ne sais même plus si finalement je souffre.

Tant que j'étais en centre de rééducation ou que je rentrais sur l'île, tout allait bien, mais lorsque j'ai dû affronter la vraie vie sur le continent, le bloc de connerie adolescente conjugué à la pensée binaire du lycée, ça a été une autre paire de manches. Avec mes béquilles et mes jambes appareillées, comme je peinais à être un "1", j'étais un "0", une carotte biscornue toujours mise de côté parce qu'elle n'entrait pas dans les normes de calibrage. Un légume moche bon pour la poubelle.

Aujourd'hui, j'ai beau avoir un doctorat de lettres, rien n'a vraiment changé ; les adultes sont juste plus polis. Les gens qui ne me connaissent pas m'ignorent d'instinct comme si j'étais incapable d'indiquer un chemin, de répondre à une question, d'avoir un avis, uniquement parce que je me dandine sur mes béquilles. Comme si j'étais une gogole en fait. Et lorsque par extraordinaire ils s'adressent à moi, ils me parlent en fixant une zone située au niveau de mon menton pour ne pas croiser mon regard parce qu'ils ont peur. De quoi ? Allez savoir. Je pourrais peut-être être contagieuse après tout. Ou leur porter malheur.

Je ne m'attarderai pas sur le repas d'anniversaire de mon père qui a eu lieu le soir de mon arrivée et qui n'a aucun intérêt en soi. Ce qui s'ensuivit, en revanche, s'est trouvé être le point de départ de toute cette aventure.

Le dîner a été expédié. Mamie Soize nous avait cuisiné des patates sautées avec du maquereau à la moutarde et un gâteau de Savoie que mon père s'est envoyé sans un mot sympa pour elle et sans lever son cul pour l'aider, tout en nous gavant de ses thèses conspirationnistes en mode *on nous ment – tous pourris –, je connais quelqu'un qui...* Et moi de hocher la tête avec ma tolérance habituelle de celle qui sait qu'elle va se tirer, ce que je me suis empressée de faire une fois la table débarrassée.

Je suis donc sortie pour voir un peu de monde.

49

Deux moutons endormis oscillaient sur leurs pattes dans la pénombre et quelques chats en quête d'ordures faisaient un peu de boucan, mais sinon, à part le Kastel avec sa devanture éclairée qui projetait un rectangle lumineux sur la chaussée, le centre-bourg était archi mort. Il faut dire qu'hors saison, il règne sur l'île une atmosphère si lugubre qu'il faut vraiment une bonne raison pour ne pas fuir sur le continent. On pourrait croire qu'une ambiance pareille décourage les touristes ; au contraire, ça les attire. C'est même la période préférée des paumés dépressifs en quête d'authenticité qui viennent se ressourcer au contact des rochers, de la mer déchaînée et des paquets de flotte.

Le Kastel est un bar vieux de plus de deux cents ans et dont on dit que la tristesse et la joie des habitants de l'île s'y mesurent à la quantité d'alcool qu'ils y absorbent. Quoi qu'il en soit, il vaut vraiment le détour ne serait-ce que pour sa déco.

Le patron – que tout le monde surnomme avec raffinement *le fils du Boche*, rapport à son père *le Boche*, conçu sous l'Occupation – a chargé ses murs des affiches terrifiantes du Tro Bro Léon, le Paris-Roubaix breton, figurant dans différentes positions, un cycliste boueux... avec un porc. On remarquera également, çà et là, de petites statuettes-cochon issues d'une collection qu'on imagine immense.

J'ai salué tout le monde et me suis collée dans un coin devant un verre de cidre tout en interrogeant *le petit-fils du Boche*, quinze ans et déjà un coude sur le zinc, à propos de l'état d'abattement général : le Stade Brestois venait une nouvelle fois de se faire humilier.

À se mettre des mines, il y avait toujours les mêmes. Brieg avec son chèche en coton ficelé autour du cou qui dans sa tête était un grand skipper. *On va bientôt passer le prendre.* Qui ? Pour aller où ? On n'a jamais su ! Roger Orion, couleur steak cru, qui râlait contre… Ce soir-là c'était contre les phoques qui avaient bouffé son poisson et qu'il rêvait de dégommer (et qu'il dégomme d'ailleurs) au fusil de chasse ; putain de parc marin ! Lebivic, correspondant local de *Ouest-France* dont le dernier fait d'arme avait été de donner la liste perdante comme victorieuse aux municipales. Le Héron, ancien disque-jockey de l'ancienne boîte de l'île, fermée dans les années 90 pour des comas éthyliques à répétition sous son ciel d'amiante.

Évidemment, les trois Parisiens ne manquaient pas à l'appel et vivaient leur grand moment de fraternité avec l'autochtone, particulièrement le dépressif à lunettes qui était en pleine catharsis. Raide bourré, il racontait au quarteron d'arsouilles la mort de sa copine Alice dans l'effondrement d'un stupa en pierre, avec moult détails dégueulasses.

Brieg, pour donner le change, lui promettait avec emphase que quand *on passera le prendre*, il ferait escale à Katmandou – c'était prévu – et aiderait ces pauvres gens à creuser un puits. Il en avait déjà fait un dans son jardin, grâce auquel il avait arrosé ses patates l'été dernier quand la mairie avait édicté des restrictions d'eau. Roger Orion remarquait très pertinemment que Katmandou était à sept cents kilomètres de la mer et qu'en plus c'était pas l'eau qui leur manquait là-bas vu qu'on était au pied de l'Himalaya : "Ton puits, ils n'en ont rien à foutre, les Népalais", avait-il rajouté, pas sympa. Le veuf leur expliquait d'une voix pâteuse que sa copine avait rejeté en bloc tous les enculés de sa famille qui le lui rendaient bien, la prenant pour une gauchiste qui ne savait pas tenir son rang et trahissait les siens. *C'est à cause d'eux qu'elle est morte*, beuglait-il ; parce qu'elle est partie au bout du monde pour les fuir.

Les poivrots compatissaient en dodelinant gravement du chef, jour funeste s'il en était où Brest n'accéderait toujours pas à la ligue 1.

La grande fille toute simple avait rajouté que Lili, leur copine morte, une fille géniale, douce, intelligente, généreuse – n'en jetez plus, me suis-je dit –, aurait tellement aimé que ses cendres fussent versées en mer, à partir des falaises de l'île. Alors, même s'ils n'avaient aucune cendre à verser vu qu'on l'avait, je cite, "enterrée de force", ils étaient venus pour jeter ses peluches préférées à l'eau !

Avec un peu de chance un phoque s'étouffera avec un nounours, s'était senti obligé de conclure Roger Orion.

Parce que j'avais entendu assez de conneries pour la soirée, j'ai fini mon verre et je suis rentrée me coucher. Mais une fois au lit, impossible de trouver le sommeil, comme si un truc rampait dans mon esprit et m'empêchait d'être sereine ; un sentiment d'*Unheimlichkeit*, d'inquiétante étrangeté. Et quand je suis parvenue enfin à m'endormir, j'ai fait un cauchemar abominable qui m'a aussitôt réveillée.

Super angoissée, je me suis alors saisie à tâtons de mon smartphone pour regarder l'heure et, par désœuvrement, parce que je n'arrivais plus à me rendormir, j'ai tapé sur Google les mots : "tremblement de terre", "Népal", "mort", "député", et je suis tombée sur des dizaines d'occurrences : Alice de Rigny, fille de l'ancien député et homme d'affaires Philippe de Rigny, était décédée à quarante kilomètres de Katmandou dans des conditions atroces.

Alice de Rigny... Philippe de Rigny... Blanche de Rigny... Me voilà carrément réveillée.

J'ai continué mon exploration. Philippe de Rigny était à la tête de l'entreprise de courtage pétrolier Oilofina. Son fils Pierre-Alexandre venait de se faire arrêter à l'aéroport d'Abidjan alors qu'il s'apprêtait à remonter dans son jet privé. Lui, avait été mis en examen en 2014 pour corruption dans une affaire d'empoisonnement de plusieurs décharges de la ville par des déchets toxiques. *Gros enculé* n'était donc pas un surnom qu'on lui avait donné à la légère.

Du coup, je me suis levée et me suis mise à fouiller frénétiquement dans les affaires de Mamie Soize à la recherche des traces de ma famille paternelle. Je n'ai trouvé que la photo de ma grand-mère et de son trognon de mari que je connaissais déjà, mais cette fois je l'ai observée d'un œil neuf. Je n'avais jamais perçu par exemple à quel point l'image de cette grande femme fière en costume traditionnel et de son vieux mari juché sur un tonneau, tous les deux le torse bardé de médailles, de ce couple d'improbables papillons épinglés dans leur boîte en velours, était à la fois touchante et trash.

Mamie Soize m'a fait sursauter :

— À Paris aussi tu te lèves à des heures pareilles ?

— Dis-moi, tu l'as connu, le grand-père ?

— C'est une question, ça, à me poser à six heures du matin ? Oui je l'ai connu, mais j'étais très jeune. Quand ma sœur venait au lavoir avec lui sur le dos, elle le calait entre deux piles de linge pour ne pas qu'il tombe. Comme j'étais haute comme trois pommes et que je n'arrêtais pas de fixer le trou qu'il avait dans la figure parce que son visage était juste à la hauteur du mien, je me faisais gronder et lui, ça le faisait rire... mais rire... et là, crois-moi, c'était terrifiant !

– Tu me l'as raconté, ça, mais ce que je veux savoir c'est d'où il venait.

– Comment ça *d'où il venait* ? Ben d'ici, voyons !

– Mamie, *de Rigny*, ça n'est pas un nom d'ici !

– Ton grand-père, c'était un bâtard. Un gosse qu'une fille-mère, une Malgorn, s'était fait faire à Paris où elle était allée chercher du travail. Il a été blessé dans la Somme en 1916. Ensuite, sa mère s'en est occupée pendant des années, mais quand c'est devenu trop lourd, elle est revenue ici pour lui trouver une femme et passer le relais. C'était déjà un vieil homme et c'est avec ma sœur qu'il s'est marié. Mais elle l'a vraiment aimé, ton grand-père Renan, il paraît qu'il était très drôle.

– Je ne connais pas la tombe de Corentine, tu me la montres ?

... Et après un tour à la boulangerie, à la supérette et à la Maison de la Presse, nous voilà au cimetière. La tombe ou plutôt la chapelle funéraire de mon arrière-grand-mère, un genre de petite maison pour se protéger de la pluie, était plantée juste à l'entrée.

– C'est ça ?

– Ben oui.

– C'est incroyable !

Et je n'ai pas rajouté : j'ai fumé dans ce mausolée mes premières clopes à l'abri des regards et sniffé de l'éther avec mes potes. Merci, Corentine Malgorn, née en 1850 d'avoir protégé, à partir de 1924, les jeunes de la pluie et de les avoir soustraits au regard de leurs parents !

Je suis rentrée dans ce monument que je connaissais par cœur.

Le médaillon en porcelaine avec sa photo avait beau avoir été le témoin de toutes mes conneries, je n'avais jamais fait le rapprochement avec quelqu'un de ma famille. Corentine n'y figurait pas en coiffe blanche et en costume noir comme sur les autres sépultures anciennes, mais en bourgeoise chic et prospère.

— Elle avait les moyens, dis donc, pour se faire construire un machin pareil. Pourquoi elle est enterrée toute seule et pas dans la partie Malgorn du cimetière ?

— Parce qu'elle s'est fâchée avec eux, je crois ; demande à ton père, c'est sa grand-mère après tout.

J'ai retrouvé ce dernier là où je l'ai toujours connu, à savoir devant son annexe en train de bricoler ses casiers en silence. Bien qu'il fût encore bel homme avec ses sourcils touffus et blancs comme ceux d'un satyre et son visage parcheminé, il me faisait une pitié immense. Comme notre île dont les champs étaient retournés à l'état de ronces alors qu'ils avaient nourri pendant des siècles une quasi-civilisation, il était à l'abandon. Ses mains, grippées par l'arthrose et aux ongles trop longs, étaient devenues maladroites et ses vêtements étaient usés jusqu'à la corde tout simplement parce qu'il n'y avait plus de boutique pour qu'il en achète des neufs et qu'Internet, il ne connaissait pas.

Je me suis dit, dans un moment de faiblesse, qu'il serait peut-être temps que nous fassions la paix :

— Tu veux quoi à déjeuner, papa ?

— Rien. Tu pars quand ?

— Je prends le bateau tout à l'heure.

Silence.

Bon.

Alors je suis passée à l'attaque :

— Je voulais te demander : pourquoi ta grand-mère Corentine est enterrée toute seule et pas avec les Malgorn ?

— Parce qu'elle les a maudits sur un siècle.

— Pourquoi ?

— J'en sais rien, c'est des vieilles histoires !

— Pourquoi elle a maudit les Malgorn sur un siècle ?

— Depuis quand ça t'intéresse ?

— Depuis aujourd'hui !

— Les Malgorn ont toujours pété plus haut que leur cul, ça doit être pour ça.

— Et ton père, pourquoi tu ne m'en as jamais parlé…

— C'était un vieil estropié.

— Oui, ça je sais, mais il est né où ?

— À Paris.

— C'est ce que Mamie Soize m'a expliqué : Corentine Malgorn, elle est partie travailler à Paris où elle s'est fait mettre enceinte par un de Rigny.

Il ricane :

— Elle leur en a foutu plein la vue quand elle est revenue, aux Malgorn. Tu t'es jamais demandé pourquoi on était les seuls à avoir le chauffage central ?

— Non, parce qu'il n'a jamais marché.

— La Corentine, elle a fait traverser une voiture pour trimballer son fils. Une voiture… Dans les années 20… Tu t'imagines ?! Il n'y avait qu'une seule route et elle avait une voiture ! On la voit en arrière-plan dans le film *Finis Terrae* d'Epstein.

— Mais de Rigny, c'était qui ?

— Qu'est-ce que j'en sais moi… Le type qui lui a collé un gosse.

— Mais tu ne lui as jamais demandé ?

— À qui ?

— À ton père.

– À mon père... Avec quelle bouche il m'aurait répondu, mon père, hein ?!

– C'est vrai !

– Ton problème c'est que tu ne réfléchis jamais quand tu parles ! À la maison, dans le tiroir où il y a les papiers importants, il y a son acte de naissance, prends-le si tu veux. Voilà... Voilà...

Voilà... Voilà... Occultant totalement ma présence, il s'est remis à bricoler ses casiers en silence, ses yeux perdus dans la contemplation d'une nappe d'huile sur la mer. Les arcs-en-ciel se formant à sa surface devaient lui rappeler une nappe similaire quelque part vers Valparaíso, Pointe-Noire ou Pondichéry. Je l'ai regardé en silence se carapater mentalement dans le dédale des coursives d'un des navires sur lequel il avait servi, puis je suis repartie vers... chez lui... chez nous... Je ne sais pas trop comment nommer cet endroit figé depuis le jour de mon départ.

J'ai constaté au fouillis inextricable qui régnait sur son bureau qu'il n'avait plus ouvert la moindre lettre depuis longtemps, les relevés de comptes, les factures, les courriers de caisses de retraite des gens de mer mêlés aux publicités de matériel de pêche formant des piles immenses. Sinon rien de plus que les résidus d'une vie de vieux marin : des photos de groupe d'anciens équipages, des cartes postales de ports lointains ainsi que des cartes publicitaires de bars et de bordels du bout du monde.

Il avait définitivement renoncé à être un être social et je dois dire que je l'enviais.

Je n'ai eu aucune peine à mettre la main sur le papier en question, paradoxalement bien rangé dans un tiroir aux côtés des siens et de mon livret de famille, puis je suis ressortie de cet endroit qui m'avait toujours foutu les boules.

J'ai passé le temps qu'il me restait avant mon départ avec Mamie Soize. Nous avons encore un peu parlé de Corentine Malgorn. Elle n'en savait pas grand-chose sauf qu'elle avait ouvert à Montparnasse en 1871 une crêperie *À la mouette gourmande* où mangeaient les Bretons – *cf.* carte postale rééditée à l'infini –, *La petite Bretagne au XIXᵉ siècle* où l'on voit mon arrière-grand-mère poser jeune et fière avec un petit garçon devant la porte de son établissement. Lorsqu'elle est revenue sur l'île, avec l'argent qu'elle avait accumulé, elle a fait construire la plus belle maison du bourg ; celle où j'ai grandi et que mon père laissait tomber en ruine. Le mobilier avait été changé par ma grand-mère dans les années 50, à une époque où l'on troquait les belles choses contre du formica parce que c'était magique et que ça se nettoyait d'un coup d'éponge. Il ne restait rien de Corentine sauf un médaillon au fond d'un mausolée recouvert de lichen ainsi qu'une vieille pendule, avec des oiseaux de paradis dessinés dessus, qui ne marchait plus depuis longtemps.

En complément de leurs cours à la Sorbonne, Auguste et ses amis allaient refaire le monde dans les cafés à la mode. Il s'agissait là, au même titre que leurs études, d'une réelle expertise dont la difficulté résidait dans le fait de savoir quel café était en vogue au moment précis où on décidait de s'y rendre. Et il fallait suivre, car un seul homme de lettres, un seul politicien pouvait faire ou défaire l'ambiance d'un lieu, entraînant dans son sillage tous ses admirateurs.

En ce moment, si on était proudhoniste, bakouniste, marxiste, blanquiste, ou si simplement on voulait démolir l'Empire tout en parlant de la souffrance du peuple, c'était au café de Madrid, boulevard Montmartre, qu'il convenait d'aller. On y entrait lorsque les promeneurs partaient ; jamais avant 17 heures. On y accrochait son chapeau à une patère puis on commandait un bock ou une absinthe en scrutant la foule pour bien s'assurer que l'on n'était pas écouté par un mouchard de la Sûreté occupé à glaner des informations. Enfin, on se joignait aux conversations, on y polissait ses arguments en les frottant à ceux des autres, on y consumait ses soirées et ses nuits en discussions. Et il fallait savoir jouer des coudes car il s'y entassait en général plus du double de clients qu'il n'y avait de places – sans compter bien sûr les femmes qui, comme tout le monde le sait, sont comme les enfants et ne picorent qu'assises sur les genoux des hommes.

Ce soir-là, c'était un journaliste, un vieux socialiste barbu, maigre et douloureux, qui commentait assis à une table, entouré de jeunes gens, un billet d'humeur à paraître le lendemain dans *Le Réveil* à propos de l'article 35 de la Constitution de 1793 sur le devoir insurrectionnel du peuple.

— *Quand le gouvernement viole ses droits, l'insurrection est, pour le peuple, le plus sacré des droits et le plus indispensable des devoirs...* J'expose dans mon article la mécanique du soulèvement ; il démarre lorsque l'expérience de l'intolérable s'épaissit au point de devenir la seule solution possible. Et on y est presque ! On en est à ça ! fit le vieux quarante-huitard, joignant le geste à la parole.

— Quand nous aurons tout fait cramer, nous rebâtirons une société juste et égalitaire en confisquant les moyens de production aux capitalistes pour les rendre communs, martela Perrachon, un jeune étudiant en droit, ami d'Auguste. Un garçon au bon visage potelé, célèbre organisateur de chahuts à la Sorbonne.

Auguste intervint :

— Mais une fois que tu les auras, tes coopératives ouvrières, elles n'auront d'autre choix pour amortir le coût de leurs nouvelles machines que d'entrer en concurrence les unes avec les autres, fabriquer des tonnes de marchandises sans lien avec les besoins des gens et supplier l'État de déclarer une guerre pour en liquider le surplus. Encore et encore, jusqu'à ce que le monde explose.

Le vieux quarante-huitard se mit à rire de bon cœur :

— C'est bien la jeunesse, ça, de courtiser le désastre ! J'ai beau avoir vécu trois révolutions, je n'ai pas encore connu l'apocalypse.

Tous ces débats qu'Auguste suivait au café de Madrid étaient intellectuellement passionnants et tellement éloignés des opinions de sa famille – famille dont l'édification pour le moment avait fait un bide. C'était pour dire : aux dernières nouvelles, son frère Ferdinand passait tous ses dimanches après-midi dans le salon de la famille Reinach, des amis intimes d'Adolphe Thiers, pour en obtenir on ne savait quels avantages, certainement pour gagner encore plus d'argent. Ça n'était d'ailleurs pas une première puisque c'était Thiers lui-même, lorsqu'il était ministre des Travaux publics, qui avait défendu le projet de chemin de fer entre Paris et Saint-Germain et qui avait attribué le marché de la construction des gares à son grand-père, puis à son père.

Lorsque le journaliste du *Réveil* leva le camp, Auguste alla s'installer à une table avec Perrachon et Trousselier, un étudiant en médecine, un grand brun au nez énorme surplombant une moustache de morse.

Âgés d'un an ou deux de plus qu'Auguste, majeurs sous l'empire de l'ancienne loi sur la conscription, ses deux collègues de faculté avaient bénéficié de justesse du régime de l'exonération militaire moyennant finance. Leurs parents avaient payé ce qu'ils devaient pour que leurs fils soient exemptés de leurs services et la question avait été réglée. C'était ses deux amis les plus proches ; avec eux il se sentait en confiance.

— Tu la sors d'où, ton histoire de fin du monde ? demanda Perrachon.

— D'un de nos professeurs de philo, un Alsacien, qui nous a traduit un texte de Marx, *le fétichisme de la marchandise.* C'est un texte effrayant et prophétique sur la mécanique de l'accumulation et la concentration de l'argent. Et avec ma famille qui est en train de m'acheter un homme, le philosophe que je prétends être y réfléchit justement beaucoup, en ce moment, à la question de l'argent, ironisa Auguste.

— On dit dans *La Marseillaise* que Bismarck intrigue auprès du roi Guillaume Ier pour placer un cousin prussien sur le trône d'Espagne parce qu'il veut pousser les Français à lui déclarer la guerre, fit Perrachon.

— Je ne le sais que trop bien ; je lis les journaux deux fois par jour et je n'en dors plus.

Et Trousselier d'intervenir pour rassurer son ami :

— Ça n'est sûrement pas ton sacrifice qui va changer grand-chose à cette guerre montée de toutes pièces par les agioteurs des deux bords.

— Comme tu te l'imagines, je suis loin d'avoir envie de la faire, cette guerre, mais si je refuse de partir on me passera par les armes.

— Rassure-toi, tu n'es pas le seul de ta classe à être dans la panade. J'ai été réveillé samedi matin par les cris déchirants de ma voisine de palier agrippée à son fils que des militaires venaient chercher. Son père était debout sur le seuil, les bras ballants, écrasé par le remords de ne pas avoir trouvé de solution. Quelques mois auparavant il avait versé à un marchand d'hommes la moitié du prix soit 5 000 francs pour un remplaçant qui s'est fait recaler pour tuberculose au moment de l'incorporation au corps : le certificat médical était un faux !

— Le pauvre ! Est-ce qu'il est dans cette histoire du chirurgien de l'Armée dont tous les journaux ont parlé ? demanda Auguste.

— Absolument ! Le type a fait des certificats de complaisance à des rabatteurs validant soixante remplaçants gâtés par la maladie. On a retrouvé 70 000 francs chez lui ! Tu vas me dire, ça fait une belle jambe à mon voisin ; comme il était trop tard pour se retourner, il a dû partir sur-le-champ.

Perrachon hésita un temps, puis se lança avec des airs de conspirateur :

— Bon, les gars, je vous en raconte une bonne, mais vous ne la répétez à personne car cela concerne des gens de ma famille... Vous me le jurez ?!

— Promis, murmurèrent les deux autres.

Et il se redressa sur sa chaise pour prendre la pose de celui qui s'apprête à livrer des révélations croustillantes :

— Après avoir cherché des mois un homme pour mon cousin Camille que vous connaissez, bien évidemment, mon oncle Henry en a enfin dégotté un. Avant de le faire admettre par le conseil de recrutement, il lui fallait légaliser la vente. Le temps de héler une voiture pour l'emmener conclure chez le notaire, il se l'est fait voler. Par je ne sais quel miracle, il en a retrouvé un autre quelques jours plus tard ; une recrue superbe, 5 pieds 11 pouces, un dragon magnifique. Toute la famille est venue l'admirer tellement il était beau ! Il signe et l'héberge chez lui jusqu'au recrutement pour ne pas risquer de revivre la même mésaventure. Le type se goberge pendant deux mois, déambule en caleçon dans le salon de ma tante pendant qu'elle reçoit à son thé du vendredi, brûle la tapisserie des sièges avec son tabac, refuse de manger avec les domestiques, pique les meilleurs morceaux, rote et pète à table tout en racontant des histoires abominables dans une langue de charretier... Et...

Et là, Perrachon de faire une pause pour ménager son effet...

— ... Et met ma cousine enceinte.

— Ta cousine ? Quelle cousine ? fit Trousselier captivé.

— Ma cousine Pauline.

— Non !

— Si ! La sublime Pauline. Elle-même ! Et... Il lui refile la syphilis. Attendez, ça n'est pas fini... Un vrai feuilleton ! Après avoir fait subir une vie effroyable à toute la famille, notre homme devant l'officier de recrutement baisse nonchalamment sa chemise pour faire admirer son superbe tatouage du bagne de Toulon. Puis il s'en va, les mains dans les poches, heureux d'avoir profité du premier acompte, du gîte et du couvert, à la recherche d'une autre famille de pigeons.

— Et ?

— Eh bien mon cousin est parti hier !

— Mais quelle horreur ! fit Auguste épouvanté, plaquant ses mains de jeune fille contre ses lèvres.

— As-tu essayé rue Piat ? lui suggéra Perrachon.

— Il y a quoi rue Piat ?

— Il y a ces mystérieuses annonces. Regarde…

Et le jeune homme d'extirper deux journaux d'un tas de quotidiens qui traînaient par là :

— Regarde, là, en bas, c'est tous les jours :

"Un militaire porteur de son congé se propose de remplacer un jeune soldat appelé aux études : s'adresser rue Piat n° 12."

"Plusieurs jeunes gens désireux de remplacer à l'armée : s'adresser rue Piat n° 12."

— Où est la rue Piat ?

— En haut de la rue de Belleville, entre les Buttes-Chaumont et les barrières.

Auguste consulta sa montre.

— Si je prends une voiture maintenant, je peux y être avant la nuit.

Sans attendre, le jeune homme sortit et héla un fiacre pour se rendre à l'adresse indiquée.

La voiture prit la direction du boulevard Poissonnière puis tourna rue du Faubourg du Temple pour monter sur Belleville, la rue Piat se situant bien au-delà de la frontière invisible formée par les boulevards de Strasbourg,

Sébastopol et Saint-Michel, séparant Paris en deux, les riches d'un côté, les pauvres de l'autre.

Bien qu'il ne se fût jamais aventuré aussi loin dans les faubourgs, il savait comment on vivait là-bas depuis les percées d'Hausmann et la montée vertigineuse des loyers. Des milliers de gens s'entassaient dans des immeubles branlants et surpeuplés ou dans des habitations de fortune qui n'étaient guère plus qu'un tas de planches, tout cela dans une insalubrité indescriptible. Il savait que les ouvriers qui se rendaient travailler chaque matin dans le centre venaient de ces quartiers. Qu'ils étaient exploités, payés à peine 3 francs par jour, moitié moins pour leur femme alors que pour se nourrir et se loger une famille devait débourser au moins 4 francs pour une pièce chez un marchand de sommeil, même à Belleville.

Il aurait fallu qu'il fût aveugle pour ne pas remarquer les hordes d'enfants dépenaillés et complètement livrés à eux-mêmes, les petites filles prostituées, les filles-mères engrossées par leur maître puis renvoyées de leur place, avec accrochés à leurs jupes des marmots malingres, traînant tous autant qu'ils étaient au bord de cette ligne pour se frotter à la richesse afin d'en arracher quelques sous.

Il aurait fallu qu'il fût idiot pour ne pas se rendre compte que quelque chose dysfonctionnait dans la société des hommes.

Être sensible à la détresse de celui qui est pauvre alors qu'on est fortuné représentait une démarche pleine de contorsions que sa famille évidemment ne comprenait pas, mais qui séduisait Auguste. Il ne niait pas sa position sociale et le fossé qui pouvait exister entre lui et les prolétaires dont il épousait la cause, mais il voulait trouver un moyen sinon de le combler, du moins de le dépasser par l'échange et le contact.

Il était persuadé qu'il fallait des gens comme lui pour penser l'accès des plus démunis au savoir et surtout pour les aider à se débarrasser de l'Église. Qu'être un nanti ne l'empêchait ni de réfléchir ni de théoriser au nom de ceux qui étaient économiquement trop fragiles pour se révolter : Étienne de La Boétie, Thoreau, Marx, Engels étaient tous des fils de bourgeois, et pourtant ils exposaient de brillantes idées fraternelles.

De quoi philosopher longuement sur le destin des hommes, sauf que son problème de conscription, en occultant complètement son avenir, l'empêchait de se projeter dans quoi que ce fût. Ça tournait à l'obsession. C'en était arrivé au point où il ne pouvait plus se retrouver avec des jeunes de son âge sans se demander comment ils s'étaient arrangés... sans toutefois oser le leur demander, la question de l'achat d'un homme, paradoxe insurmontable pour un socialiste, se révélant impossible à aborder. Lorsqu'il voyait sa famille – ce qui n'était déjà pas une sinécure, c'était pire : aucune conversation autour de la table ne semblait conduire à autre chose qu'à la conscription. On évoquait un tel et on pensait immédiatement à son fils et donc à son départ ou à son exemption. On évoquait l'année à venir et on songeait à l'absence d'Auguste, ou pire, à sa mort, et on sanglotait.
Il avait l'impression d'être damné.

Il songeait à tout cela pendant qu'il promenait son regard sur les bicoques mal rangées, les façades noircies par la suie et les loques qui séchaient aux fenêtres.
Le cocher l'arracha à ses réflexions en arrêtant le fiacre rue de Belleville, la chaussée étant impraticable pour aller plus loin. Auguste dut faire le reste du chemin à pied, mais à peine avait-il fait quelques pas hors de

la voiture qu'il fut pris à la gorge par une abominable odeur d'excréments et de charognes en décomposition qui lui provoqua des haut-le-cœur et le fit tituber.

L'adresse indiquée correspondait à une gargote crasseuse dont un des habitués était connu par tous les gens du quartier à qui il demandait son chemin pour faire le commerce des hommes.

Le sieur Anquetin le reçut dans un petit réduit alors qu'il soupait.

Petit et trapu, la face glabre et d'un rouge tirant sur le violet, le maquignon était en train d'engloutir avec plaisir et appétit une énorme saucisse. Une bougie brûlait grassement à ses côtés comme si elle se nourrissait, outre de cire, de ses remugles fétides qui emplissaient la pièce.

Alors qu'Auguste, nauséeux, la voix chevrotante, le verbe peu sûr, lui exposait son cas, le marchand posait de temps à autre sur son fiévreux interlocuteur un regard amusé tout chargé de saucisse :

— Pour 15 000, j'ai un 5 pieds 8 pouces, un Angevin, un homme magnifique, qui a déjà servi, finit-il par dire, la bouche maculée de graisse. Il a eu une blessure à la jambe qui l'a fait réformer, mais aujourd'hui il est parfaitement guéri.

— Mon beau-frère, qui est militaire, m'a mis en garde contre ce type de spécimens. Souvent, après avoir été reçus au conseil de recrutement, ils se font réformer au corps en alléguant qu'à la vérité leur blessure a beau être guérie, leur membre attaqué conserve une faiblesse qui ne leur permet plus de servir. Du coup, ma famille perdrait son acompte et je serais obligé de partir.

— Bon... Alors, pour moins cher, 11 000, j'en ai un plus petit : 4 pieds et 11 pouces, mais en lui crêpant le toupet, ça fera l'affaire. Il a de bons pieds et pas de varice.

Je prends pour moi 30 %. Il me faut 500 francs pour l'équipement, le tabac et le vin et c'est vous qui prendrez en charge les frais de notaire pour le contrat. Un tiers à la signature que je garde. Un deuxième tiers le jour où le remplaçant aura été accepté par le conseil de recrutement. Le dernier tiers une année après la conscription sur certificat de l'administration de son corps constatant qu'il est bien à son poste.

— Onze mille pour un tout petit homme, mais c'est énorme…

Anquetin perdit patience et haussa le ton :

— Il est bien fini le temps où les pères de famille nous faisaient lanterner pour conclure. Dans quelques semaines ça sera la guerre et mes nains, les parents des mirliflores dans votre genre, ils me supplieront pour que je leur vende. Au double.

— On m'a dit qu'à Paris, avec toutes les manufactures qui fermaient, la disette d'hommes était moins sensible. Qu'un journalier à 3 francs préférait largement devenir remplaçant…

— Ah bon ? On vous a dit ça ? Eh bien puisque c'est si facile, pourquoi vous ne le cherchez pas vous-même, l'ouvrier qui a envie de se faire tuer à votre place ?

— Mon père ne mettra jamais cette somme, fit Auguste le visage enfoui dans ses fines mains de jeune fille. Il avait prévu 10 000 francs pour une recrue impeccable, ajouta-t-il tout bas.

Il tenta bien son regard velouté dit du chevreuil blessé à mort, mais ce qui fonctionnait si bien sur sa mère ne réussit qu'à faire rire le maquignon.

— M'est avis qu'avec vos manières de fille ratée, ça va pas être facile, la vie de caserne. Mais bon, ce qui ne tue pas endurcit, on dit !

Sa dernière bouchée de saucisse avalée, Anquetin s'essuya la bouche du revers de sa manche et balança avec un rire mauvais sa note à Auguste :

— Faites attention en rentrant chez vous, on dit que le quartier n'est pas sûr.

3

*Le premier avril mil huit cent soixante et onze à quatre
heures et demie de l'après-midi.*

*À nous présenté et déclaré de sexe masculin, Renan
Astyanax de Rigny, né au domicile de Clothilde de Rigny,
rue du 4-Septembre nº 43. D'Auguste de Rigny né à Saint-
Germain-en-Laye, âgé de vingt et un ans, étudiant, fils de
Casimir de Rigny, et de Corentine Malgorn née à Brest,
âgée de vingt ans, agricultrice, fille de Yann Malgorn. Cette
déclaration est faite par le père et la mère en présence d'Aimé
Perrachon, âgé de vingt-deux ans, étudiant, demeurant à
Paris, rue de Port-Mahon nº 10, et d'Albert Trousselier, âgé
de vingt-trois ans, étudiant, demeurant à Paris, boulevard de
la Madeleine nº 8, lesquels ont signé avec nous, officier de
l'état civil, lecture faite.*

Renan, Corentine, Auguste et Casimir mes ancêtres,
Perrachon et Trousselier les copains de faculté d'Auguste,
Clothilde de Rigny la tante qui l'hébergeait à Paris…
Avec son vocabulaire restreint et sa syntaxe primitive,
aucun style au monde ne disait mieux les choses que cet
acte écrit à la plume.

Reprenons attentivement.

Mon arrière-grand-mère Corentine, profitant du désen-
clavement de sa région par le chemin de fer, serait,
comme beaucoup de Bretonnes sans le sou, partie à la
capitale s'engager comme bonne. Elle se serait mise au
service d'une famille de grands bourgeois où elle se serait
fait engrosser par l'un des mâles, vraisemblablement le
garçon de son âge, Auguste. Ce dernier l'aurait emmenée
accoucher chez sa tante célibataire dans le quartier le plus

branché du Paris d'Hausmann, les Grands Boulevards, autrement dit chez sa *beautiful people* de tante. Il aurait reconnu le gosse avec ses potes de fac comme témoins et lui aurait donné certes un prénom breton : Renan, mais également un prénom révolutionnaire à coucher dehors, Astyanax, qui signifie pour les Grecs de l'Antiquité *protecteur de la cité*. Une fois son enfant mis au monde, elle aurait ouvert la même année un restaurant… Tout ça en pleine occupation prussienne sur fond de répression de la Commune de Paris ?!

Voilà ce que venait me dire ce vieil acte administratif.

Je répète si vous voulez…

Vous en conviendrez, l'histoire qu'on m'avait servie ne tenait pas debout une seconde. Et pas besoin d'avoir un doctorat de lettres pour s'en rendre compte, il suffisait simplement d'avoir lu *Pot-Bouille* de Zola :

> *Ce n'était donc pas assez de ne jamais manger à sa faim, d'être le souillon sale et gauche, sur lequel la maison entière tapait : il fallait que les maîtres lui fissent un enfant ! Ah ! les salauds ! Elle n'aurait pu dire seulement si c'était du jeune ou du vieux, car le vieux l'avait encore assommée, après le mardi gras. L'un et l'autre, d'ailleurs, s'en fichaient pas mal, maintenant qu'ils avaient eu le plaisir et qu'elle avait la peine !*

L'auteur raconte ensuite la délivrance de la petite bonne avec le même style clinique qu'il aurait mis pour décrire la mise bas d'une bête.

Seule et sans faire de bruit pour ne pas être virée, elle accouche dans sa chambre sous les toits et abandonne son enfant sur le sol du passage Choiseul en se réjouissant d'avoir eu pour une fois de la chance que personne ne l'a vue faire…

La voilà, la condition des domestiques du XIXe siècle !
Mais jamais, au grand jamais, on ne passait outre à la loi
de la reproduction des classes. Pourtant Auguste de Rigny
avait commis cette ultime transgression le 1er avril 1871
en reconnaissant mon grand-père et en lui choisissant de
surcroît un prénom parce que je ne vois vraiment pas une
Bretonne de mon île appeler son fils Astyanax.

Pourquoi avait-il fait ça ? Cherchait-il à réparer
quelque chose, à rembourser une dette ? Était-ce un
geste politique ? Était-ce tout ça à la fois ?

Ce n'était pas tout. Voilà une Bretonne catholique
et soi-disant miséreuse, partie très loin de chez elle pour
gagner sa vie, qui ouvrait l'année de la naissance de son
bâtard de fils le restaurant *À la mouette gourmande*... Avec
quel argent était-elle parvenue à investir dans ce fonds
de commerce qui était, si on en croit la carte postale que
Mamie Soize m'avait montrée, d'une belle taille ? Et enfin
pourquoi figurait-elle dans l'acte de naissance de mon
grand-père comme agricultrice et non comme bonne ?

Sur cette photo qui datait de 1875, Corentine posait
sur le même pied de toilette que cinquante années plus
tard sur le médaillon ornant son caveau, à savoir impec-
cablement coiffée et serrée dans son corset. Même jeune,
cette femme avait toujours eu l'air d'une commerçante
triomphante. On s'imaginait avec difficulté qu'elle eût
pu un jour être au service de quelqu'un.

Les explications que ma famille m'avait fournies
donnaient à cette histoire des airs de puzzle dans lequel on
aurait enfoncé des pièces à coups de marteau : ça ne ressemblait à rien. Mon esprit, ou plutôt mon imagination,
demandait à en savoir plus. Je me disais que cette histoire de
Parisiens venus noyer des nounours sur notre île pour célébrer la mémoire d'une de Rigny, loin d'être une coïncidence,

était comme un genre de vérité qui ne disait pas son nom et qui avait juste attendu son heure pour éclater…

Dans le train du retour, grâce au site mormon *familysearch. com*, qui pour baptiser les morts scanne sans relâche depuis les années 60 les registres paroissiaux du monde entier, j'ai reconstitué, moyennant quelques euros et quelques clics, l'arbre généalogique de la famille de Rigny.

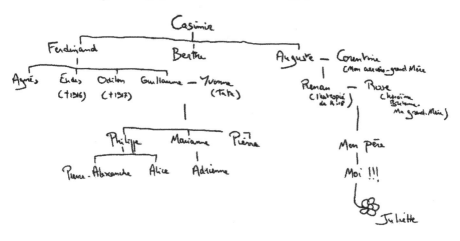

À sa base j'ai mis Casimir, le père d'Auguste, celui qui avait reconnu mon grand-père *l'estropié*. Casimir avait eu trois enfants, Berthe, Ferdinand… et le fameux Auguste. Berthe n'avait pas eu d'enfant, mais Ferdinand en avait eu quatre : une fille et trois garçons. Il semble y avoir eu des problèmes génétiques d'enfantement chez les femmes de la famille de Rigny parce que Berthe n'était pas la seule à ne pas avoir eu de descendance, sa nièce Agnès, fille de Ferdinand, avait déclaré sur les registres de la paroisse de Saint-Germain-de-Paris cinq enfants mort-nés. Des trois garçons de Ferdinand, deux étaient morts jeunes pendant la Grande Guerre, l'un en 1916 et l'autre en 1917, sans avoir eu d'enfant. Seul le petit dernier, Guillaume de Rigny, né en 1905, avait survécu. Il avait épousé une femme plus jeune, Yvonne, qui avait donné naissance à partir de 1945 à notre ami Philippe dit *le gros enculé* puis à deux jumeaux, Pierre et Marianne. Philippe a eu deux enfants, Marianne un et Pierre aucun. Je n'ai rien découvert d'autre à propos de mon putatif arrière-grand-père Auguste. Rien sur le fils qu'il avait reconnu tel qu'il était indiqué sur l'acte d'état civil que j'avais entre les mains, ce qui n'avait rien d'anormal puisque les communards avaient foutu le feu à tout l'état civil parisien stocké à l'Hôtel de Ville depuis le XVIe siècle et à son doublon archivé avenue Victoria ; un geste politique pour faire table rase des filiations bourgeoises et de l'hérédité. Aucune indication non plus sur la date ou sur le lieu de son décès qui m'aurait permis de connaître sa destinée.

Partant de la branche Auguste, j'avais donc rajouté le petit rameau que l'Histoire avait oublié : nous, les gueux de Bretagne, avec une jolie petite fleur au bout, ma fille Juliette.

La branche Alice de Rigny, *la touriste innocente*, ayant été brisée par la furie des éléments, j'étais frappée par le côté chétif du végétal. Il n'était composé que de six personnes : Yvonne de Rigny née Guyot en 1921 avec comme qui dirait *un pied dans la tombe et l'autre qui glisse*, son fils Philippe et sa fille Marianne, divorcés tous les deux, ainsi que leurs enfants qui avaient à peu près mon âge, tous nés autour des années 80. Aucun d'eux n'était marié ni n'avait d'enfant. Il restait également Pierre, le jumeau de Marianne, qui n'était pas marié et qui n'avait pas eu d'enfant.

Un arbre malingre et tordu comme on en trouve sur les sols ingrats.

En quelques minutes je les avais presque tous identifiés. Il y avait la centenaire richissime entretenant sa fille Marianne et sa petite-fille Adrienne, une jet-setteuse photographe d'art qui sur les réseaux sociaux avait l'air, dans ses fringues ultra référencées, over cocaïnée et très très conne. Dans la famille *Gros enculé*, outre la morte, il y avait le père ainsi que le fils Pierre-Alexandre, tous deux chez Oilofina et mis en examen dans l'affaire de l'empoisonnement des décharges africaines ; Pierre-Alexandre résidant depuis peu à Maca, la prison d'Abidjan. Seul Pierre résistait à mes investigations parce que je ne trouvais pas la moindre trace de lui sur Internet.

La famille possédait de nombreuses propriétés immobilières et un très luxueux yacht de 35 mètres, le *Sunday Morning*, qu'on pouvait admirer sous toutes ses coutures sur le compte Instagram d'Adrienne la photographe, à l'occasion de très belles fêtes. Lorsqu'on remontait le fil de ses photos, on constatait que toute la famille en profitait ou en avait profité, même la morte... Et même le hipster à lunettes que j'avais rencontré, bourré, au Kastel qui, au passage, était peut-être de gauche et dans l'humanitaire, mais avait l'air d'y avoir trouvé sa place. Seule Marianne, la mère d'Adrienne, qui contemplait le vide à l'arrière-plan de ces quelques clichés de ses yeux plissés d'alcoolique, n'avait pas l'air de s'amuser vraiment.

Auguste s'était précipité pour la seconde fois de la journée au kiosque à journaux situé au bout de sa rue, face au chantier du nouvel Opéra, afin de connaître les derniers rebondissements de l'affaire du trône d'Espagne et de son corollaire : la guerre.

Il y avait de cela quarante-huit heures, pour apaiser la crainte des Français d'être encerclés par des monarchies prussiennes, le roi Guillaume Ier, en cure à Ems, avait assuré, à la demande de l'ambassadeur de France, que son cousin le prince Léopold de Hohenzollern retirerait définitivement sa candidature au trône.

Auguste avait donc soufflé en voyant s'écarter le spectre d'un conflit entre la France et la Prusse.

Mais la presse nationaliste, avec ses discours bellicistes, poussait la Chambre à en exiger plus : que Guillaume Ier aille jusqu'à promettre qu'il n'y aurait plus jamais d'autre candidature prussienne. Ce dernier avait répondu qu'il n'avait rien à promettre à personne et que l'incident du trône d'Espagne était clos. L'ambassadeur avait pourtant sollicité une nouvelle entrevue pour exiger de lui cet engagement. Il était même allé jusqu'à le poursuivre pendant sa promenade du matin dans le parc de son hôtel. Une magnifique caricature de cet événement où on voyait le diplomate français tirer lamentablement la manche du monarque prussien avait été publiée l'après-midi même du 13 juillet dans les journaux allemands. Il avait parallèlement envoyé à Paris une dépêche de la ville d'Ems relatant cette fâcheuse affaire. On y lisait

comment lui, un ami proche de Napoléon III, le représentant de la France, s'était fait éconduire comme un
moins que rien par un simple aide de camp alors qu'il
était venu formuler au roi de Prusse une demande plus
que légitime.

La veille au soir, les journaux français ne parlaient
plus que de cette dépêche, les uns pour déclarer que la
guerre était la seule solution pour laver cet affront, les
autres, au contraire, pour affirmer qu'on avait évité le
pire, que tout allait bien et que la Bourse avait repris
trois points.

En se penchant par la fenêtre de l'appartement de sa
tante, Auguste avait vu sa rue envahie par des bandes
d'étudiants et d'ouvriers tenant à bout de bras des drapeaux tricolores et hurlant à pleins poumons *À bas la
Prusse ! À Berlin !*

À la nuit tombée, tout Paris était sorti sur les boulevards. Des fenêtres, des terrasses, partout des mou-
choirs s'agitaient pour applaudir les manifestants. Les
rues n'avaient pas désempli jusqu'au matin, le pays étant
unanime à vouloir venger l'insulte faite à l'ambassadeur
de France.

Aujourd'hui 17 heures, les quotidiens faisaient chorus
et titraient sur la guerre, même *Le Figaro* qui relatait la
débâcle de la Bourse depuis l'ouverture… Et avec tout
ça, le beau-frère Jules qui ne donnait plus aucune nouvelle depuis qu'il était parti à Brest pour lui acheter un
homme. Le conseil de recrutement était le 18 ; il ne restait plus que quatre petits jours !

Son ami Trousselier était parvenu à mettre la main sur
un fascicule qui circulait sous le manteau à la faculté de

médecine : *Le guide des officiers de santé dans l'apprécia-*
tion des infirmités ou des maladies qui rendent impropre au
service militaire. "Regarde là-dedans, tu y trouveras peut-
être un moyen de te sortir de l'embarras", lui avait dit
son camarade cherchant à lui donner un peu d'espoir.

En introduction on y expliquait que *l'armée, en raison*
des fatigues, des privations et des dangers auxquels elle sou-
met le futur soldat, exige de lui une complexion forte, mais
également une certaine réserve organique afin d'y puiser
l'énergie nécessaire pour lutter contre les intempéries, sup-
porter les privations, braver les obstacles et les périls.

"*Réserve organique* ; mais quelle horrible notion médi-
cale !" songea Auguste. La Patrie n'avait-elle donc aucune
considération pour ses fils en ne les envisageant que
comme une réserve d'organes dans laquelle on pouvait
puiser à l'infini ? Pourtant ces jeunes hommes qu'il avait
vus défiler dans les rues n'en pouvaient plus d'attendre
de se battre contre les Prussiens. *À Berlin ! À Berlin !*
criaient-ils tous, ces innocents, ces crédules ; de la chair
à canon chauffée à blanc qu'on jetterait sur celle d'en
face à seule fin de servir des intérêts économiques auxquels ces pauvres gars ne comprenaient rien. Les boucheries avaient beau décimer les familles, génération après
génération, les mères perdre parfois tous leurs garçons, le
monde entier avait l'air de s'en accommoder ; pire, d'en
redemander, un traumatisme historique chassant l'autre.

Outre une liste impressionnante de difformités qui
permettaient aux conscrits d'être exemptés lors du
conseil de recrutement : *goitre, perte de substance, engor-*
gement chronique, idiotie congénitale, ossification impar-
faite, scrofules, chute du rectum, membre surnuméraire…
il y avait également une longue liste de maladies comme
la syphilis, le cancer, la variole, la tuberculose ou *le scorbut*

qui donnaient aux jeunes hommes qui en étaient affectés la chance de mourir dans leur lit plutôt que sur un champ de bataille. *Une laideur poussée à l'extrême résultant d'une conformation vicieuse en ce qu'elle inspire aux camarades du jeune soldat une répugnance et un certain désespoir doit être considérée comme incompatible avec la vie militaire où la plupart des actes s'accomplissent en commun,* pouvait-on également y lire... Manque de chance, les femmes le trouvaient très beau et il jouissait, après avoir attrapé toutes les maladies possibles étant enfant, d'une santé de fer !

C'était donc du côté des maladies mentales qu'il convenait de chercher une échappatoire. Le fascicule distinguait la folie visible à l'œil nu, *torsion des membres, délires bruyants, cris intempestifs, bave, incontinence...* (dans ce cas la maladie ne faisait aucun doute), de l'aliénation mentale invisible très difficile à déceler. On se devait d'être particulièrement attentif à ce fou-là, derrière lequel se cachait souvent un simulateur. Ainsi, c'était lorsque le sujet pensait être seul, à l'abri des regards, qu'il convenait de l'observer. Il fallait pour cela *le garder longtemps à disposition afin de s'en faire une idée sûre, le provoquer à la conversation, le sonder par des interrogatoires variés, lui adresser des questions nombreuses et précipitées se rattachant à des ordres d'idées différents de manière à ne pas lui laisser le temps de préparer ses réponses.* Et si, chez le médecin militaire, demeurait malgré tout une hésitation dans le diagnostic, ce dernier ne devait pas hésiter à employer des *moyens énergiques et douloureux sans toutefois que ces derniers fussent trop cruels.*

Auguste ne se voyait pas du tout se lancer dans une telle comédie, surtout qu'elle mettrait à contribution sa famille qu'on convoquerait pour l'interroger sur ses crises. Rien que d'imaginer son frère Ferdinand en train d'exposer au conseil de recrutement ce qu'il nommait déjà en temps normal ses *délires gauchistes et végétariens*, il en avait froid dans le dos.

Restait la nostalgie. Le fascicule précisait qu'il ne pouvait s'agir que d'une cause de réforme, et non d'exemption, si et seulement si le soldat désirait à ce point retourner dans son foyer qu'il présentait des *altérations organiques profondes*. En d'autres termes s'il ne restait à la patrie plus rien à puiser dans sa pauvre réserve d'organes.

La taille réglementaire des recrues s'était abaissée de 14 centimètres depuis Louis XIV en raison des nombreux conflits avec l'Angleterre et l'Autriche et surtout des campagnes napoléoniennes grandes consommatrices de jeunes mâles en bonne santé. Compte tenu de la pénurie de beaux gaillards, on était donc devenu beaucoup moins exigeant : un jeune devait à présent mesurer 5 pieds 1 pouce, soit 1 mètre 55 au minimum pour être enrôlé. Auguste faisait 1 mètre 77. Un magnifique dragon.

C'était à se demander qui il resterait encore dans ce pays après cette nouvelle guerre pour faire des enfants aux femmes à part des hommes minuscules ou tarés. Et si ces ambitieuses boucheries perduraient encore longtemps, cela laissait rêveur sur cette beauté de la *race française*. Celle dont les nationalistes de tous bords s'enorgueillissaient… C'est sur ces réflexions sur le futur de la France qu'Auguste avait refermé le fascicule.

4

Hildegarde.
Ma meilleure amie. Mon âme sœur, comme disent les niaises. Quand je sors avec Hildegarde, on nous prend pour des lesbiennes, certainement parce que dans l'esprit de la plupart des gens, comme nous sommes toutes les deux hors normes, chacune à notre façon, quand nous sommes ensemble nous ne pouvons que nous accoupler. Comme des animaux.

Quand je sors avec Hildegarde, c'est d'abord mon amie qu'on regarde parce qu'elle a un look étonnant avec ses cheveux très longs, son magnifique visage de madone et ses survêts qu'elle porte en toutes circonstances, seuls vêtements capables de contenir son corps trop grand. Ensuite on me regarde moi, mais on ne s'attarde pas vu que ça fait vaguement pitié, mes béquilles et mes jambes appareillées, puis on retourne sur elle en se disant que quelque chose cloche. Et là on la dévisage pour trouver de quoi il s'agit ; un truc en rapport avec sa taille et ses proportions… Et la petite molette de tourner ; le disque dur de mouliner : j'pourrais, j'pourrais pas, ça m'dégoûte ou ça m'excite ? Elle, elle s'en fout, mais moi, ce sans-gêne me met hors de moi. Hildegarde, en plus de longs membres, a un cou de girafe et des mains comme des araignées, plus plein de choses qui ne fonctionnent pas à l'intérieur, mais qu'on ne voit pas.

Je l'ai rencontrée au centre de réadaptation fonctionnelle de Lorient où on m'avait envoyée pour que je réapprenne à marcher. Nous avions seize ans et nous sortions toutes les deux de l'hôpital : moi, après mon accident et elle, à l'issue d'une énième opération pour lui redresser la colonne.

Le jour de mon arrivée, la première fois qu'on m'a poussée dans le réfectoire jusqu'à une place libre entre deux myopathes de Duchenne, deux jeunes crucifiés dans leur fauteuil en bout d'espérance de vie, je me suis mise à pleurer à un tel point qu'une aide-soignante est venue me ramener dans ma chambre où je me suis recroquevillée sur mon lit, le visage tourné vers le mur. Le lendemain pareil. Le surlendemain pareil. Au bout de trois jours, une créature improbable a passé sa tête enchâssée dans un halo en métal tenu avec des pointes plantées dans son crâne et d'où partaient des barres de traction fichées dans un corset en plâtre : un tableau médiéval d'horreur pure.

En plus elle souriait, cette conne.

Hildegarde, quoi !

"Pourquoi tu pleures ?" m'a-t-elle demandé avec un zeste d'agacement dans le ton.

Que pouvais-je bien lui répondre ? Que mes larmes étaient un cocktail de honte et de dégoût face aux handicapés qui m'entouraient. De peur d'être clouée dans un fauteuil à jamais. De colère d'être assimilée à cette foire aux monstres. D'incompréhension de ne pas les voir affectés le moins du monde par leur malchance alors que moi je beuglais à l'injustice… Bref, ça n'était pas très chouette, comme seuls les vrais sentiments humains savent parfois l'être. Imaginez-vous infirme, surtout à seize ans, je vous assure que votre esprit cale. Et ça n'est pas comme jouer au manchot, un bras attaché dans le dos, ou à l'aveugle avec un bandeau sur les yeux ; ça a à voir avec les mots impuissance, tortue sur le dos… Bannissement.

Je l'ai regardée avec des yeux ronds. Quand on se trouve dans ce genre de situation, à quelques centimètres d'une personne atteinte du syndrome de Marfan avec des clous plantés dans la tête, qui vous demande le plus sérieusement du monde mais pourquoi tu pleures ?, on manque de repères vu qu'une telle situation n'arrive jamais dans la vraie vie.

Elle a rappelé l'infirmière pour qu'on me remette dans le fauteuil et elle m'a poussée vers le réfectoire. C'était jour de poisson, un vendredi. Elle m'a placée à nouveau entre deux myopathes et a dit à l'un d'eux "Vas-y, bouge avec ton fauteuil" avec la même brutalité qu'un ado lambda emploie avec un autre, puis elle s'est assise à côté de moi. On nous a servi en entrée des crevettes et tout le monde s'est mis à rigoler lorsque les assiettes sont arrivées sur la table. Je n'ai d'abord pas compris pourquoi, puis je me suis aperçue que les tétraplégiques, myopathes et amputés qui nous entouraient ne pouvaient pas les éplucher parce que leurs mains étaient soit trop malhabiles, soit inutilisables, soit inexistantes. "Rends-toi utile !" m'a dit Hildegarde, et je me suis mise à les décortiquer en silence, le nez rivé sur mes doigts.

Avec sa gaîté perpétuelle, son humeur simple et son désir de faire toujours plaisir, elle m'a servi de guide dans mon nouveau monde et, au bout de quinze jours, je faisais les mêmes conneries avec les myopathes de Duchenne que celles que je faisais avec les jeunes de mon île. Elle m'a aidée à apprivoiser mon nouveau corps. Plus exactement, elle m'a appris à choyer cette vieille guimbarde pourrie qui me servirait dorénavant à continuer ma route. Pas une autre. Jamais une autre.

Bref, lorsque je me suis sentie prête à assumer tout ça, je suis partie pour l'internat et Hildegarde est rentrée chez elle. Nous nous téléphonions souvent et lorsqu'on m'a accordé ma bourse et ma chambre en cité U, j'ai quitté mon île parce que sinon allez savoir ce qui m'y serait encore arrivé. Je me suis donc installée à Paris, là où elle vivait, et depuis nous nous sommes vues presque tous les jours.

Juliette.
Ma fille aux grands yeux solennels pleins de lumière.
Un soir où d'anciens potes de fac fêtaient dans leur appartement plusieurs anniversaires en même temps, je me suis bourré la gueule à un tel point que j'aurais – j'emploie à dessein le conditionnel vu qu'il s'agit d'une hypothèse… j'aurais complètement zappé le fait de m'être tapé un mec debout contre un placard de la salle de bains. À cette époque-là, comme j'avais peur de me retrouver seule dans ma petite chambre de bonne, il m'arrivait de sortir souvent et de quitter les fêtes en vrac et quasiment la dernière, au moment où il n'y avait vraiment plus aucun espoir qu'il s'y passe encore un truc. Un mois et demi après, je me suis sentie si mal que je suis allée voir un médecin qui m'a dit, juste en me regardant : "Mais voyons, mademoiselle, vous êtes enceinte !" Il m'a prescrit des analyses de sang et quand la laborantine m'a annoncé qu'il avait raison, j'étais sciée. C'est là que j'ai fait des recoupements pour remonter jusqu'au jour de ce multi-anniversaire.
Quelqu'un croit m'avoir vue disparaître dans ladite salle de bains, d'où mon souvenir induit, mais rien n'est moins sûr. Il faut dire que j'avais eu plusieurs autres partenaires dans l'intervalle ; cicatrices dans le dos, orthèses, bottines, minijupe, allez savoir pourquoi les hommes m'ont toujours trouvée sexy avec mes jambes appareillées.

Je me suis posée au café le plus proche du cabinet d'analyses et j'ai appelé Hildegarde pour qu'elle vienne me rejoindre.

C'est là, pendant que je l'attendais, qu'un type genre cinquante, cinquante-cinq ans, jeans moule-bite, mal rasé, blouson de jeune, Converse rouges, est entré dans le troquet avec sa môme pleurnicharde fourrée dans une sorte de sac à dos de trekking et s'est installé au comptoir. L'enfant était habillée avec une mini-doudoune et un énorme bonnet qui lui tombait sur les yeux et elle chouinait parce qu'elle avait trop chaud. Son père tentait infructueusement de porter sa tasse à ses lèvres alors que la gamine se tortillait dans son dos, le visage congestionné... Gnaaa... Gnaaa... C'était insupportable ! Il sentait bien, ce con, qu'il nous exaspérait avec sa môme... Gnaaa... Gnaaa... Il en était d'autant plus conscient qu'avant sa naissance, lui non plus n'aurait pas supporté cette situation une seconde.

Avec cette gosse qui grinçait à quelques mètres de mon oreille, je pensais à ma grossesse sans père et au fait d'affronter ce calvaire toute seule. Les enfants, je n'y connaissais rien. J'étais une fille unique élevée par une vieille tante aux gestes rêches et impatients. Je ne savais pas où puiser la ressource pour donner à un enfant l'attention et l'amour qu'il méritait.

— Ça va durer encore longtemps ? a fait son voisin de zinc.
— Elle veut descendre...
— Alors descendez-la !
Le type a défait son machin dorsal et l'a posé par terre avec la môme dedans en coinçant le machin entre ses

jambes et le comptoir, au milieu des papiers de sucre, des vieux tickets de métro et des jeux à gratter perdants.

Gnaaa… Gnaaa… Ça a recommencé de plus belle.

Je regardais fixement la petite en train de quémander l'attention de son père. Elle tirait sur son jeans et lui, il lui répondait, sans même baisser les yeux, avec de petits gestes d'apaisement comme ceux qu'on accorde aux clébards. À un moment, il s'est même saisi du *Parisien* et a entamé la lecture d'un article tout en lui filant à tâtons vers le bas un morceau de croissant qu'il tentait de lui fourrer dans l'oreille croyant que c'était sa bouche.

Et là, j'ai eu une vision de mon père et une espèce de bile aigre m'est montée jusqu'au bord des lèvres :

"Tu peux faire ce que tu voudras pour attirer son attention, il ne te regarde pas. Ce qu'il voulait c'était juste sauter ta mère, un joli petit cul de vingt-cinq ans de moins, pour oublier un temps qu'il était mortel. Faut le comprendre, c'est beau un jeune cul, c'est chouette… Mais maintenant tu es là et tu l'emmerdes ! Alors c'était encore vaguement plaisant quand tu étais bébé, c'était mignon toute cette nunucherie autour de ton berceau vintage, mais le fait que tu grandisses témoigne encore plus de sa décrépitude et ça, ça ne l'amuse plus du tout, le vieux ! Bref : tu as tout gâché, tu es un poids ! Un poids qu'il a posé par terre, histoire de se rappeler le temps d'un café ce que pouvait être la vie sans toi. Sans mioche. Et toi qui subis ça sans rien faire. Agis, putain ; fais quelque chose. Vas-y, tu ne m'inspires que du mépris, espèce de looseuse. Mais regarde-le, maintenant il plaisante carrément avec le tôlier alors que toi t'es là, le nez collé sur ses tibias… Gnaaa… Gnaaa… Dans la poussière.

86

Je sais qu'elle a lu tout ça dans mon regard parce qu'elle est passée à l'action. Trouvant un appui inespéré sur le bas du comptoir, elle s'est fait basculer d'un coup sec de la jambe, face contre terre. S'en est suivi un cri déchirant, le nez en sang... Tout ! Elle avait réussi à gâcher le café de son père et avec un peu de chance sa journée tout entière après qu'il l'avait ramenée, le visage tuméfié, à la maison et qu'il s'était fait traiter de *sale con irresponsable* par sa jeune moitié.

"Félicitations, ma grande ! Continue à le faire chier à mort. Tout plutôt que foutre ta vie en l'air en te balançant du haut d'une falaise !"

Un papa, une maman, je n'en avais rien à foutre de toutes ces conneries ; c'était d'une aide aimante et bienveillante dont j'avais besoin. Alors, lorsque Hildegarde est enfin arrivée et qu'elle m'a trouvée prostrée, je lui ai simplement demandé si elle était prête à m'aider. Elle m'a promis qu'elle et surtout ses parents qui avaient déjà perdu deux enfants à cause du syndrome de Marfan seraient toujours là pour nous... Et ils l'ont toujours été. En plus, ils savaient faire.

Tata Hildi n'aura jamais d'enfant, mais elle a Juliette.

C'est Hildegarde qui m'a fait entrer voilà dix ans à la reprographie judiciaire. Dix ans, c'est aussi l'âge de ma fille, et c'est pile l'époque où j'ai mis un voile sur mes rêves icariens et la précarité qui allait avec. En d'autres termes, c'est à la naissance de Juliette que j'ai arrêté de vivre n'importe comment et que j'ai eu un vrai travail. Quant à Hildegarde, elle était à la repro depuis des lustres. Elle n'a pas fait d'études comme moi et y a vu le boulot alimentaire idéal parce que tout ce qui l'a jamais intéressée dans la vie, c'est sa lutte contre la souffrance animale et son engagement à L214. Le reste, elle s'en fout. On pourrait se dire qu'elle est d'une trempe exceptionnelle pour supporter la cruauté insoutenable des abattoirs et des élevages intensifs, mais lorsqu'on la connaît bien, on ne peut qu'être frappé par l'extrême cohérence entre son tempérament et ses choix.

Ce travail faisait partie de la liste des emplois dits *réservés*, un travail de bourrin donc, mais qui exigeait d'être fait très consciencieusement compte tenu de ses enjeux. Il consistait concrètement à scanner feuille par feuille toutes les procédures portant sur les crimes et les délits de droit commun commis dans le ressort de la capitale. Je l'aimais bien. J'avais un statut protégé de fonctionnaire, le salaire n'était pas terrible, mais on travaillait à notre rythme. Enfin, l'ambiance de *freaks* y était joyeuse avec un grand sens du collectif genre *Embauchez des handicapés, c'est si drôle de les voir travailler !*

Le gros du boulot arrivait tout droit des commissariats, et l'autre partie des cabinets des juges d'instruction. Tous les interrogatoires, PV de perquisitions et de saisies, écoutes téléphoniques, bornages, expertises ADN, autopsies, captations de pages Facebook, sonorisations de véhicules, commissions rogatoires en tout genre... Ces tonnes de paperasses policières se retrouvaient dans un dossier qui arrivait chez nous pour y être numérisé et édité sous la forme de CD-ROM destinés aux avocats afin qu'ils puissent assurer la défense de leurs clients.

Quelques mois avant le début de cette aventure, j'étais passée chef de mon service et je n'avais plus qu'à gérer les données et dispatcher le travail. J'étais basée sur l'île de la Cité qui traitait des crimes et délits de droit commun et de temps à autre j'allais boulevard des Italiens rendre visite à ma copine Hildegarde qui était, elle, affectée aux contentieux en col blanc.

Une fois la numérisation des dossiers de la semaine terminée, ça nous arrivait de dupliquer quelques CD-ROM pour les lire à la maison le week-end comme on le ferait avec un roman. Elle, elle trouvait ça plus distrayant que les émissions *Faites entrer l'accusé* ou *Complément d'enquête* qui passaient à la télé. Moi, ça me rappelait – pour peu que les flics qui retranscrivaient les dépositions aient une âme d'artiste – ces romans du XIXe que j'aimais tant et que j'avais étudiés en détail pour ma thèse *Rancœur sociale et prolétariat de la plume au XIXe siècle*. Comme eux, ils venaient nous raconter les effets implacables de la cupidité sur le destin de leurs personnages : banqueroute, jalousie, fraude, patrimoine injustifié, prise illégale d'intérêt, concussion, spoliation, fraude fiscale... On n'y parlait que d'argent.

Octave Mirbeau, par exemple, qui à un moment de sa vie a eu un boulot proche du mien, a fait dire à l'un de ses personnages :

Je copiais des rôles chez le notaire et je regardais d'un œil intéressé le défilé de toutes les passions, de tous les crimes, de tous les meurtres, que met dans l'âme des hommes le désir de posséder un champ.

Eh bien la lecture de ces procédures numérisées me donnait la même impression. On se tabassait entre dealers pour une barrette de shit carottée ou une rivalité de territoire, on torturait pour un code de carte bleue, on tuait pour un sac à main... Et le bonheur qu'on pensait mérité par l'excellence de son âme était de posséder un jour une Panamera toutes options pour se la péter en bas de sa barre d'immeubles. Dans la criminalité dite astucieuse de chez Hildegarde, la violence n'était peut-être pas aussi directe, mais ses conséquences pouvaient s'avérer bien plus dévastatrices avec fermetures de boîtes, personnels sur le carreau ou fraude à la TVA sur des millions. Quant à l'objectif, il était quasiment le même : parader en Porsche à Gstaad ou au Blanc-Mesnil, j'étais incapable de dire ce qui était le plus vulgaire.

Un esprit avide de sensationnel penserait immédiatement que nous tirions, elle et moi, de l'argent des dossiers médiatiques sur lesquels nous mettions la main :

D'où peut provenir la fuite ? Comment les journalistes se sont-ils procuré ces pièces de procédure couvertes par le secret d'instruction alors même que personne n'y a encore eu accès ? Une enquête vient d'être ouverte par le parquet...

Les juges, les flics, les avocats, on soupçonnait tout le monde, mais qui aurait songé une seconde aux deux gogoles de la reprographie ? Sûrement pas le magistrat fin de race aux épaules étroites couvertes de pellicules qui chapeautait nos services et qu'on voyait au mieux une fois par trimestre. Si par extraordinaire c'était arrivé, il n'y aurait pas eu meilleures que nous pour jouer aux déficientes mentales. C'était si convenu.

Les interrogatoires de ces gens payés trente fois le SMIC sans même connaître l'adresse de leur travail ou ceux avantageusement logés dans des appartements de fonction avec parquet et moulures au prix d'un HLM de banlieue... Les amateurs du droit de cuissage ou simplement ceux qui profitaient de leur position pour financer leurs frais de bouche, leurs taxis, leurs travaux ou leurs campagnes électorales… Tous ces PV bien dégoûtants, nous n'en avons jamais tiré profit. D'abord parce que ça aurait été la meilleure manière, en nous exposant au moment de la transaction avec nos physiques plus que reconnaissables, de nous faire gauler. Ensuite parce que la presse n'avait déjà pas les moyens de payer correctement ses journalistes, alors vous imaginez ses sources…

Hildegarde et moi, nous ne les vendions pas, mais il nous arrivait de les glisser dans une enveloppe à destination notamment du *Canard*, de *Libé*, de *Mediapart* ou du *Figaro*, ça dépendait de la couleur politique du candidat à l'opprobre. Nous le faisions juste par joie mauvaise, pour voir comment ça faisait des gens paniqués en train de courir autour d'une fresque en dominos qu'ils avaient mis des mois à monter et qui était en train de s'effondrer sous leurs yeux. Pour contempler les petits rectangles noirs qui tombaient sans qu'il y eût besoin de fournir un autre effort que la première pichenette, chaque domino pouvant entraîner dans sa dégringolade un domino deux fois plus grand. C'était kiffant ces disgrâces en chaîne et ces têtes qui roulaient dans la sciure. Des feuilletons passionnants qui nous tenaient en haleine pendant des semaines ; mieux qu'une série Netflix. On se faisait carrément des soirées télé-pizza devant les infos en continu, sur le canapé de ma copine.

Brest, 14 juillet 1870

Si Jules ne donnait plus aucun signe de vie depuis trois semaines, c'est parce qu'il s'amusait beaucoup.

Ah, Brest !

Brest et ses vingt-cinq mille militaires. Brest et ses mille prostituées. Il trouvait qu'à Brest même la brise marine avait... comme une odeur de vulve.

Lorsqu'il avait été question d'être envoyé quelque part pour trouver un homme à acheter à son crétin de beau-frère, il s'était immédiatement porté volontaire, voyant là une occasion de fausser compagnie à la famille de Rigny. Il avait suggéré Toulon, mais son épouse Berthe avait mis son veto en arguant de la dangerosité de l'endroit. Prétextant qu'il y avait des connaissances, il avait donc proposé Brest, à la fois très loin de Paris et direct en train.

Jules avait toujours fréquenté les maisons closes et il devait admettre que depuis quelques années ça n'était plus ce que c'était. Le côté égout séminal où l'on venait satisfaire ses besoins physiologiques n'attirait plus. L'homme moderne cherchait *de nouvelles propositions* ; il demandait *à être écouté*, il cherchait *l'Amour*. Chacun voulait sa petite grisette à soi, quatorze/dix-neuf ans, dans son petit meublé bon marché, avec si possible sa maman pour la garder propre. Quant aux bordels, avec leurs bibelots, leurs chinoiseries, leurs tentures et leurs filles récurées, ils étaient devenus désespérément petit-bourgeois. Tout ça déplaisait profondément à un homme rugueux comme Jules accoutumé aux ambiances viriles de garnison.

Son truc à lui, c'était les pierreuses ; ces filles sales qui levaient le jupon debout sur les chantiers et les terrains vagues, à l'ombre des barrières de Paris. Leur odeur bestiale, leur débraillé lui rappelaient son identité primitive, sa barbarie perdue. À Brest, on en trouvait partout, des filles comme ça, carrément par centaines dans le quartier des Sept-Saints ou alors perchées sur les remparts. Il y en avait même dans les champs où elles dressaient des pancartes avec leur nom. Il goûtait particulièrement les Léonarde. Leur goût de terre, leur côté bas du front propre à la paysannerie bretonne accentué par le fait qu'elles comprenaient à peine trois mots de français l'excitaient énormément. Il les trouvait aussi plus spontanées, moins mécaniques que les Parisiennes qui mettaient un point d'honneur à vous montrer leur ennui lorsqu'on les besognait. Les Léonarde, elles, elles donnaient à voir une joie érotique sincère. Et pas chères avec ça. Non, vraiment, Jules s'amusait beaucoup.

À l'issue de ses trois semaines de débauche, un courrier qu'on avait déposé à son attention à la réception de l'hôtel vint le rappeler à l'ordre : *où en était-on de l'achat du remplaçant d'Auguste ?* lui demandait son beau-père.

Ça n'était pas son genre, mais il était vrai que dans cette affaire il traînait les pieds.

Jules était homme à considérer que la guerre était la plus belle manifestation de l'intelligence humaine. La guerre et l'armée. Elles seules parvenant à contenir et à diriger les hommes, à leur donner du mouvement, une règle et un but. Il trouvait par conséquent exécrable l'idée de chercher un remplaçant à Auguste à qui le service ferait le plus grand bien. Il aimait le peuple ? Eh bien qu'il se le coltine et on verrait après neuf ans d'armée s'il l'aimait toujours autant ! Ce qui le poussait néanmoins à faire un effort, c'était sa chère, sa tendre, sa pauvre Berthe. Si cette dernière perdait son frère à la guerre, elle perdrait également la raison, vu que ça n'allait déjà pas très fort depuis sa troisième fausse couche. De plus, son beau-père lui ayant donné 11 000 francs, 1 000 étant déjà partis en orgies diverses, si par extraordinaire il trouvait un homme, il lui proposerait 8 000 et pourrait se mettre la différence dans la poche. Il ne lui resterait qu'à le mener directement au conseil de recrutement pour que le remplacement soit acté et que personne ne pense à lui demander des comptes. Quant au paiement du solde dudit remplaçant, on verrait bien dans un an ; avec la guerre, tout pouvait arriver.

Il mit donc un mouchoir sur ses convictions et se tourna vers le portier de son hôtel, un gars avec une tête d'archives criminelles qui avait su être plus qu'à la hauteur en matière de prostituées. Il aurait sûrement un conseil à lui donner sur la vente d'hommes, le domaine étant très proche.

— Il me faut un beau sujet avec de bonnes dents et d'une qualité morale irréprochable avant le 16. Je sais que le délai est bref, mais le conseil de recrutement de mon jeune beau-frère est dans quelques jours et il ne s'agirait pas qu'il soit recalé. Nous ne pourrons plus nous retourner ensuite sauf à trouver dans la semaine suivant son incorporation un homme de la même taille. Il fait 1 mètre 77, vous imaginez le problème…

— Mais, monsieur, c'est presque la guerre, ils parlent d'appeler la réserve.

— Oui, et ? Ce n'est qu'une formalité, cette foutue guerre ! Vous avez lu ce que claironne Lebœuf : nous sommes plus que prêts, il ne manque pas un bouton de guêtre à notre armée. Et le chassepot... Je l'ai essayé le chassepot : un fusil extraordinaire qui se charge par la culasse... Avec une de ces portées : 1 700 mètres ! Une merveille. À vous éclater un Prussien comme une pintade ! Trouvez-moi un homme et je paierai bien.

— Vous ne trouverez personne, les rabatteurs des agences de remplacement ont vidé tout le Finistère.

— Trouvez-moi une idée alors...

— Les îles.

— Quoi, les îles ?

— Personne ne va jamais chercher des hommes sur les îles parce que ça fait trop de frais.

— Mais il y a du monde là-bas ?

— Trois mille âmes. On s'y rend à la voile, et c'est dangereux.

— Alors trouvez-moi un bateau.

5

C'est en traitant un jour le dossier d'un avocat qui s'était fait tabasser par ses clients que l'idée de mon petit business m'est venue.

C'était inédit comme genre d'affaire et comme je connaissais pas mal de monde, au moins de nom, ça m'intéressait de savoir qui s'était fait cogner. C'était le moment de ma pause, j'en ai donc profité pour feuilleter ledit dossier assise sur mon tabouret.

La victime racontait aux flics comment des dealers étaient venus à son cabinet pour exiger de lui le dossier d'un de leurs potes. Bien sûr il avait refusé, pensant à d'éventuelles représailles sur les balances dont les coordonnées figurent en général au début des PV : *vous vous appelez machin, vous habitez au...* Du coup, les mecs l'avaient frappé et avaient foutu tout son cabinet par terre pour retrouver le CD-ROM en question. Lorsqu'ils ont mis la main dessus, vu que ce type de document numérisé est hermétique lorsqu'on n'est pas familiarisé avec la littérature judiciaire, ils ont demandé à l'avocat de leur imprimer les pages où se trouvaient les listes de noms des consommateurs de drogue que la police avait extraits de son portable. En vérité, ils n'étaient pas venus pour venger leur pote, mais simplement pour reprendre son activité là où ce dernier l'avait laissée avant son arrestation.

À la reprographie, des répertoires, j'en photocopiais des dizaines par semaine dans les dossiers de stups, mais jamais je n'en avais mesuré la valeur marchande. Tout à coup ça m'est apparu comme une évidence au point de me demander comment personne n'avait encore songé à faire de l'argent avec cette manne.

Et c'est à partir de cette découverte, dans notre petite chambre sous les toits et après avoir couché Juliette, que j'ai commencé à passer méthodiquement toute cette boue au tamis pour en extirper ma matière première.

Je faisais ces listes de contacts à 1 000 euros les 100, ce qui n'était vraiment pas cher. Imaginons que la moitié seulement des numéros d'un carnet d'adresses soient actifs et qu'un titulaire achète en moyenne 40 euros de cocaïne ou de shit par semaine, en une semaine un numéro était amorti alors qu'un trafiquant pouvait garder un client deux ans et que celui-ci lui en rapportait d'autres. Parfois, j'en avais d'énormes et je me faisais plus de 3 000 euros en une fois, mais en général le téléphone saisi d'un dealer ne comportait pas plus d'une cinquantaine de noms. On parle ici d'une denrée ultra périssable car les consommateurs de drogue forment une clientèle très volatile. Fonctionnant sur le mode pulsion/frustration, s'ils n'obtiennent pas immédiatement le produit qu'ils convoitent, ils changent aussi sec de dealer et leur numéro ne vaut plus rien. Il fallait donc être ultra rapide... Et comme c'était moi, depuis ma promotion, qui m'occupais du dispatching des dossiers papier, ça allait encore plus vite : dès qu'il m'en passait un de stups entre les mains, je le faisais scanner en priorité. Le soir, comme c'était également moi qui fermais le service, je dupliquais les CD-ROM qui m'intéressaient et les emportais à la maison.

En quatre ans je me suis confectionné un tableau Excel d'à peu près 15 000 numéros de téléphone portable classés suivant différents critères : détail des drogues consommées, fournisseurs, volume de consommation et surtout, lorsque les acheteurs étaient convoqués au commissariat pour balancer leur dealer, je notais leur vrai nom (et pas seulement *Fred 32, la blonde* ou *le renoi*, comme ils figuraient sur les répertoires). Je n'avais aucun doublon et pas mal d'adresses de gens connus systématiquement convoqués par les flics qui adorent par-dessus tout se rincer l'œil avec des people qui font dans leur froc. Tout cela était sauvegardé dans mon Cloud. Aujourd'hui, avec du recul, je me demande pourquoi j'ai perdu autant de temps à confectionner ce truc. Je pense que c'est du côté des tarés qui collectionnent des armes de guerre aux États-Unis qu'il faut chercher une explication (je suis très critique envers moi-même). Lorsqu'on leur demande à quoi cet arsenal va leur servir, ils répondent unanimement qu'ils veulent être prêts. À quoi ? Ils ne le savent même pas eux-mêmes. À mon avis, ça leur sert à se dire que s'ils le voulaient, avec leurs râteliers pleins, ils pourraient peser. Un genre de réassurance narcissique dans un monde où l'on se sent faible du fait de ne plus rien maîtriser du tout. Pareillement, ce Cloud à destruction massive était là pour rassurer cette tortue sur le dos que j'étais, en ce qu'elle pourrait foutre un sacré bordel si l'envie lui en prenait.

Les activités troubles nécessitant l'engagement d'hommes et de femmes loyaux, unis par les mêmes origines, nous travaillions entre voisins.

Mes partenaires de biz, Ahmed et Mohamed, venaient du palier d'en face. Ces Dupont-Dupond, comme je les surnommais affectueusement, appartenaient à ce genre d'Arabes qu'on invite pour faire diversité dans les fêtes parisiennes parce qu'ils sont pédés, élégants et branchés. Lorsque je leur ai proposé ma combine, ils m'ont regardée avec des yeux émerveillés. L'un m'a dit : "Trop bien !" L'autre : "Trop cool !" Ils connaissaient beaucoup de monde et n'avaient donc aucun problème pour refourguer mes répertoires à des dealers avec une marge que je soupçonnais délirante, mais je m'en foutais parce que ce qui comptait pour moi c'était de travailler en confiance et sur la longueur, ce qui a toujours été le cas. Je savais également qu'ils feraient tout pour qu'on ne puisse jamais remonter jusqu'à eux ; quant à venir jusqu'à moi, c'était impensable.

Pour blanchir mon argent, j'ai d'abord commencé à faire commerce avec Dioulou, le père de famille malien de mon étage (deuxième porte à gauche des toilettes) que je payais rubis sur l'ongle.

Si l'émigré n'est perçu que par sa capacité à nuire, c'est parce qu'on le présente avant tout comme une charge pour la population accueillante. Dioulou et moi, nous avons mis au point un système d'osmose parfaite, de fraternité, qui devrait servir de modèle parce qu'il permet à chacun de s'aider et de s'enrichir mutuellement.

Vous n'avez jamais remarqué des Noirs à vélo vêtus d'anoraks trois fois trop grands pour eux et de baskets pourries sans chaussettes zigzaguer dans Paris avec un cube isotherme sur le dos ? Ce sont des sans-papiers et le téléphone fixé à l'avant de leur guidon ne leur appartient pas.

Une personne qui commande un hamburger-frites paye la livraison *via* son portable sur la plateforme et cette dernière crédite mon compte en tant que titulaire officiel de l'emploi de coursier. Moi, ensuite, je rembourse à Dioulou en liquide ce que je touche légalement toutes les semaines et cela au centime près. Lui, ça le ravit, parce qu'il a un boulot et un salaire sans avoir forcément le titre de séjour qui va avec et moi ça me permet de blanchir mon argent. Après Dioulou chez Uber Eats, comme je suis hyper réglo et que je ne prends aucune marge pour qu'on utilise mon compte, il y a eu Dembelé et Diara, ses cousins, sur Deliveroo. Puis, lorsqu'ils ont commencé les contrôles, ils sont tous allés sur Stuart. Puis lorsque Dioulou a eu ses papiers, il est devenu Uber et je lui ai acheté une voiture qu'il me louait. J'étais une autoentrepreneuse handicapée qui travaillait vraiment beaucoup. Qui possédait trois comptes en banque ouverts sur Internet, deux vélos et une bagnole qui tournaient H24 avec des Maliens.

Je n'ai jamais culpabilisé de faire mon beurre avec un tel commerce. D'abord parce que avec les 1 320,92 euros net par mois que je touchais du ministère et mes 900 euros de loyer pour mes douze mètres carrés, je ne pouvais pas m'en sortir, à cause notamment des taxis que j'étais obligée de prendre pour circuler dans cette putain de ville pas du tout aménagée pour les handicapés et de l'école privée où j'avais scolarisé ma fille pour qu'elle ne charrie pas derrière elle une kyrielle de cassos. Ensuite, parce que après une journée crevante, quand Juliette dormait et qu'il faisait beau dehors, j'aimais bien m'installer sur notre petit balcon avec un pétard histoire d'oublier un temps mes douleurs de dos, sans que personne ne vienne me faire chier.

Aux censeurs de droite qui m'accuseraient de fausser le jeu économique ou voudraient m'interdire de vivre comme je vis, aux gentilles personnes de gauche qui pour mon bien seraient tentées de me faire la morale ou de m'asséner des messages de prévention débiles, je répondrais que, lorsqu'il n'y a pas de victime à une infraction, si ce n'est ni le corps d'autrui, ni ses biens, ni ses droits qui sont en danger, alors c'est l'Ordre que l'on cherche à protéger, et l'Ordre, ça fait très longtemps que je l'emmerde... Et à ce que je sache, ce n'est pas moi qui ai créé ce statut merdique d'autoentrepreneurs... Et qu'on ne vienne surtout pas me parler à propos des stups, de santé publique, vu ce qu'on mange et ce qu'on respire tous les jours.

Comme tout le monde, j'avais des rêves : un joli appartement pour nous deux avec un balcon et surtout un ascenseur, parce que gravir six étages lorsqu'on est handicapé, c'est vraiment un chemin de croix. J'aurais pu vivre au rez-de-chaussée, me direz-vous... Je l'ai fait quand Juliette est née, j'ai échangé la loge lugubre de la gardienne avec ma chambre de bonne, mais lorsqu'elle a été en âge de grimper, nous sommes retournées vivre là-haut.

Enfant, j'ai grandi avec pour seul horizon l'Amérique en face de ma maison, alors il m'est impossible de vivre sans perspective, la fenêtre collée à un immeuble. De mon minuscule appartement, lorsque nous nous tenions debout sur notre tout petit balcon, en nous tordant un peu le cou, nous pouvions voir la Seine. Et depuis que le ciel de la capitale est envahi par des mouettes venues d'on ne sait où à cause de la disparition du poisson, ça faisait la blague. Quant à vivre ne serait-ce que dans un arrondissement moins cher, il n'en était pas question – tout simplement parce que le centre concentre et que la périphérie dissémine : il y avait tout en bas de chez nous ce qui est fondamental lorsqu'on ne peut pas se déplacer.

J'en avais un autre, de rêve : l'exosquelette japonais particulièrement chic et léger en titane que je porte aujourd'hui et que j'avais repéré à l'époque sur Instagram. Il m'a coûté une blinde et il m'a fallu faire plusieurs allers-retours pour l'ajuster et apprendre à coordonner mes mouvements. Heureusement que j'ai eu un petit coup de pouce financier grâce au gardiennage de tata Yvonne parce que sinon j'aurais dû en vendre, des répertoires, pour me payer un truc pareil. Grâce à ce dispositif, je peux enfin suivre Juliette au lieu de rester toujours sur place cramponnée à mes béquilles à la regarder s'éloigner en lui faisant croire que ça ne me fait rien.

Ce commerce est le seul secret que j'aie jamais eu pour Hildegarde. Bon, elle est loin d'être débile, elle a bien vu les CD-ROM étalés partout lorsqu'elle arrivait à l'improviste ou quand elle me ramenait Juliette. Elle a toujours senti qu'il se passait quelque chose de pas clair. Il lui arrivait même d'en ramasser un sur le sol et de me cuisiner pour éprouver mes mensonges, mais la retenue qu'elle mettait dans ses interrogatoires m'a toujours fait penser qu'elle ne l'a jamais fait pour me confondre, mais simplement pour s'assurer que mes bobards tenaient la route au cas où.
Ça n'est pas que j'avais peur qu'elle me juge ; loin de là. Si je ne lui ai rien dit à l'époque à propos de la drogue, c'est simplement par crainte qu'elle me harcèle pour que je verse à son association l'argent que je réussissais péniblement à mettre de côté sou par sou. Pour ne pas avoir à lui dire non, tout simplement. C'est qu'il n'y a jamais eu aucune place dans sa vie pour autre chose que son engagement pour la cause animale et qu'en raison de sa maladie, comme son temps est compté, elle ne le perd pas en tergiversations. En d'autres termes, lorsque Hildegarde veut quelque chose, elle sait être très chiante.

Mais un événement est venu tout à coup menacer… Je ne sais pas comment on pourrait dire ça… Merdifier mon quotidien jusqu'à compromettre mes projets. L'inauguration du nouveau Palais de Justice qu'on pensait ne jamais voir sortir du sol venait pourtant d'avoir lieu et ce qu'on appelait le déménagement historique de l'île de la Cité ainsi que celui de six autres sites vers les Batignolles avec ses 1 300 camions et ses 100 000 cartons avait démarré. Il était prévu dans l'ancien Palais où je travaillais une première phase de décélération des activités juridictionnelles. Puis dans un deuxième temps une phase où l'activité devait reprendre progressivement aux Batignolles à hauteur de 30 % pendant quinze jours puis enfin une troisième phase où l'activité reprendrait à 100 %, scellant définitivement la séparation des deux sites : le TGI au diable Vauvert, Porte de Clichy, et la cour d'appel au centre de Paris.

On disait que le regroupement dans ce lieu unique des affaires militaires, de la cybercriminalité et de l'antiterrorisme d'une part, de la répression du crime organisé et des délits financiers de l'autre, transfigurerait pour les parquets la sûreté territoriale ainsi que la lutte contre le blanchiment d'argent. Le service de reprographie de l'île de la Cité fusionnait donc avec celui de la galerie financière du boulevard des Italiens et Hildegarde et moi travaillerions enfin ensemble. Tout ça promettait d'être magnifique, efficace et tout et tout sauf que l'accès à cet immeuble babylonien restait la pauvre ligne 13 du métro où des pousseurs en gilet orange comprimaient déjà les voyageurs alors que le Palais n'était même pas encore ouvert.

Avec les quinze mille personnes supplémentaires chaque matin, c'était juste inenvisageable pour moi qui tenais à peine debout dans une rame en temps normal.

Après plusieurs tâtonnements qui ont failli se terminer en drame, j'ai fini par trouver un trajet. Je prenais le métro en face de chez moi jusqu'au départ de la ligne du bus 74 rue de Rivoli puis, après m'être battue avec ma carte d'invalide pour avoir la place prioritaire à côté du chauffeur, je partais à l'assaut des embouteillages pendant plus d'une heure et demie. Une fois arrivée, je descendais comme je pouvais à la porte de Clichy en essayant de ne pas tomber. Là, je clopinais péniblement au travers des embûches d'un épouvantable chantier sur les 300 mètres qui me séparaient du tribunal. J'arrivais en sueur et épuisée. Le soir, quand le trafic s'était calmé, je rentrais en Uber complètement lessivée. Je ne pouvais plus aider ma fille à faire ses devoirs et heureusement qu'il y avait la mère d'Hildegarde pour aller la chercher à l'école et pour veiller sur elle sinon je ne sais même pas comment j'aurais fait.

J'ai tenu comme ça quinze jours jusqu'à la troisième phase d'installation, tout ça en serrant les dents et en essuyant des petites remarques parce que j'arrivais systématiquement en retard peu importe l'heure à laquelle je partais de chez moi, et puis un matin j'ai craqué et j'ai pris le métro en me disant que la foule compacte me tiendrait debout sans avoir besoin de me cramponner à mes béquilles. Mais quand la porte s'est ouverte à la station Porte de Clichy, j'ai été si violemment emportée par le flot de gens qui descendaient qu'une de mes jambes avec son appareillage est passée entre le marchepied et le quai, et si personne n'avait eu la présence d'esprit de tirer le signal d'alarme, le métro me l'aurait arrachée en repartant.

Je suis arrivée tremblante au travail et me suis mise à pleurer sans plus pouvoir m'arrêter. Hildegarde a appelé mon chef qui m'a mise en arrêt maladie pour un mois.

C'est à cette occasion que je suis allée à l'anniversaire de mon père, et pour la suite, eh bien vous savez.

Jules n'en revenait pas d'être arrivé à destination tant cette traversée avait été terrifiante.

Le portier de son hôtel lui avait dégoté la veille au soir un lougre chasse-marée venu à Brest livrer des crustacés et charger des barriques d'alcool en attendant que la mer remonte. Ravi de cette excursion, il embarqua donc d'excellente humeur au lever du soleil. La traversée promettait d'être magnifique, la mer était d'huile et un doux vent annonçait une arrivée sans encombre en fin de matinée.

Dès qu'ils furent sortis de la rade et que le cap fut mis sur l'île, il tenta de lier conversation avec les marins, mais bien vite il comprit en voyant les innombrables rochers parsemant leur route que si ceux-ci ne desserraient pas les lèvres, c'est parce qu'ils étaient occupés à scruter attentivement la surface de l'eau afin de se frayer un chemin au milieu des récifs qui se découvraient au rythme de la houle.

On l'avait prévenu qu'il partait vers la terre de tous les naufrages, mais il croyait à un de ces baratins pour touristes ; une façon de leur faire vivre à peu de frais la grande aventure. On ne lui avait malheureusement pas menti : il se figurait embarqué sur un œuf à la coquille fragile qui ne demandait qu'à se briser sur cette multitude de rochers affleurant l'eau. Il fit donc silence et se laissa saisir par la grandeur des paysages aussi beaux qu'inhospitaliers.

Le bateau longea la côte de l'île dont les falaises avaient l'air aussi accueillantes qu'un troupeau de pachydermes sur le point de charger, puis en doubla la pointe, pour arriver dans une baie protégée des vents et des courants où il jeta l'ancre. Les marins mirent une chaloupe à l'eau et c'est debout, entouré de barriques d'alcool, que Jules rejoignit la terre.

Une fois débarqué sur un petit môle désert, il fit route à pied vers le centre du village. Il ne croisa pas âme qui vive sauf quelques curieux moutons noirs minuscules et faméliques, qui se poussèrent mollement sur son passage.

L'église sonnait la fin de la messe.

Les portes s'ouvrirent en grand et, tout à coup, la place encore déserte quelques secondes plus tôt fut envahie de femmes.

Des centaines.

Des femmes partout. Des comme il n'en avait jamais vu : grandes, les cheveux coupés au ras de la nuque, maigres et brunes, au visage buriné par le soleil. Toutes portaient la même tenue noire, comme les femmes qu'il avait vues en Corse sauf que celles-ci portaient leur jupe juste au-dessous du genou. Alors que les plus âgées s'égaillaient aux quatre coins de l'île en colonnes interminables et noires, les plus jeunes s'attroupèrent autour de cet homme à la moustache et à la chevelure ardentes qui venait d'apparaître miraculeusement au milieu de leur bourg. Toutes lui souriaient sans équivoque et mettaient dans leurs œillades et dans leurs gestes la savante expérience des prostituées les plus effrontées. À part quelques vieillards et des petits enfants, pas un seul homme à l'horizon. Un jardin d'Éden entièrement peuplé de belles paysannes aguicheuses aux odeurs fortes et aux cheveux en bataille sous leur petite coiffe blanche.

La traversée avait été rude, mais Jules de Brassac avait débarqué au paradis.

N'en revenant pas, il se laissa entraîner par une troupe de jeunes filles hilares vers un estaminet nommé Le Kastel où régnait déjà une virile ambiance de corps de garde. Des mères de famille, des jeunes filles et des vieillardes y ingéraient des verres d'alcool en s'invectivant joyeusement d'une table à l'autre dans un sabir incompréhensible. La matrone œuvrant derrière le comptoir l'interpella en bonne camarade et lui servit un verre d'un liquide corrosif qu'il eut la malheureuse idée de boire cul sec. Elle le remplit aussitôt en lui frappant vigoureusement l'épaule pour faire passer : "Buvez, beau voyageur, ici les verres pleins ne doivent pas traîner", lui dit-elle en français.

Tous les regards de la place étaient sur lui.

De leurs voix graillonneuses de femmes saoules, les plus vieilles hurlaient en donnant des coups de coude aux plus jeunes… *Krog pa gavi… Krog pa gavi…* Toutes se tordaient de rire, la bouche enfouie dans leur verre.

À peine eut-il terminé son second godet qu'un homme colossal tout droit sorti d'une légende paysanne fit une entrée fracassante. Il reconnut le curé à ce qu'il portait encore son habit de messe. L'homme furieux invectiva en breton la jeune escorte de Jules et empoigna ce dernier avec autorité pour le remorquer hors de l'estaminet jusqu'au presbytère.

— Ça n'est pas sain pour un homme non accompagné de traîner par ici, gronda-t-il d'une voix sombre.

— Quel endroit, ma foi ! Je n'en avais jamais vu de pareil et Dieu sait que j'ai vu du pays, fit Jules un sourire radieux aux lèvres. Elles disent toutes la même chose… *Krogpagavi…* Est-ce le nom qu'elles m'ont donné ?

— *Krog pa gavi, ne vezo ket peh a ini* : croche dedans quand tu en trouves un, il n'y en aura pas pour toutes.

Comme vous l'aurez compris les hommes sont une denrée rare, ici. Ils attirent les convoitises et sont la cause de nombreuses bagarres entre filles. Il marqua un silence et capta avec insistance le regard de son interlocuteur : Nous ne voulons pas de cela, n'est-ce pas ?

Pendant qu'ils discutaient en remontant le bourg, la nuée de filles les escortait à une distance respectueuse, hors de portée des grands gestes du curé qui tentait de les chasser comme on le fait avec les mouches. Elles accompagnèrent les deux hommes jusqu'au seuil du presbytère et attendirent Jules à l'extérieur.

Avec des gestes lourds et des mains comme des battoirs l'homme d'Église retira et plia soigneusement sa chasuble et son étole alors que son visiteur lui exposait la raison de sa présence sur l'île.

— On vous aura mal renseigné, monsieur : des hommes, ici, il n'y en a pas. À peine sortis de l'enfance, ils embarquent dans la Marchande ou la Royale pour ne revenir que deux fois l'an.

— Rassurez-vous, je ne suis pas un maquignon. Je suis directement mandé par ma belle-famille. Des gens très respectables qui cherchent à faire remplacer leur jeune fils tombé au sort.

— Combien le père est-il prêt à mettre ?

— Casimir de Rigny a prévu 8 000 francs. La moitié à la signature devant un notaire de Brest, et le surplus un an et un jour suivant la date d'incorporation au corps. Je prends en charge le voyage en train jusqu'à Paris ainsi que le tabac et le trousseau, plus 50 francs pour votre tronc.

— J'en veux 100 !

– Va pour 100 si vous m'en trouvez un joli.

– Un joli, un joli… Je peux peut-être vous le faire joli, oui… Je vais voir. Vous repartez quand ?

– Demain matin serait parfait. Nous sommes le 14, je dois être à Paris le 17 au matin impérativement, avec ou sans homme.

– Ah non, ici ça ne se passe pas comme ça ! Soit vous réembarquez sur le lougre à marée haute, soit vous restez parmi nous une semaine, voire plus si le temps est mauvais.

– Ah, fit Jules avec regret, lui qui s'était déjà fait des tableaux orgiaques de toutes ces belles paysannes faisant la queue devant sa porte. Il soupira. Je me suis engagé à rentrer avant le conseil de recrutement de mon beau-frère. Je suis donc obligé de partir.

– J'ai bien là un goémonier qui vient de perdre son bateau… Peut-être qu'il consentirait à se vendre. Je pars vous le décrasser pour vous le montrer.

Puis le curé, du haut de sa stature, se fraya un chemin au milieu des filles en les talochant littéralement pour les faire se disperser et escorta Jules jusqu'à l'entrée d'une petite pension située juste en face du presbytère.

– Je fais vite mais vous demande expressément de ne pas sortir d'ici avant mon retour.

L'endroit où il devait attendre son homme était étonnamment décoré. Il s'y entassait tout ce que les marins de commerce de cette famille avaient ramené de leurs voyages, non pas avec le souci de ce qui pourrait faire bien, mais seulement de ce qui pouvait encore être casé. Au-dessus de la cheminée un miroir vénitien de 6 pieds de haut fraternisait avec deux services à thé en porcelaine et une collection de ravissants netsukes comme on aurait pu en trouver chez un japoniste avisé du Palais-Royal. Comme Jules s'en étonna auprès du curé, celui-ci lui fit d'un air épuisé :

– Des chinoiseries... En ce moment, ils ramènent tous des chinoiseries... Et des palmiers. Les jardins de l'île sont pleins de palmiers déprimants. Chacun veut le sien. Ils ne s'acclimatent pas du tout au vent et à l'air salé, mais ils ne meurent pas pour autant. Ils agonisent saison après saison. Pourtant ils continuent à en ramener pour les faire crever ici. Je suis né sur l'île Bourbon, vous savez, et les palmiers là-bas c'est autre chose, fit l'homme d'Église tristement.

"Quelle curieuse damnation !" songea Jules en le regardant s'éloigner. "Qu'avait donc pu commettre ce pauvre gars pour qu'on l'exile aussi loin de chez lui, dans ce gynécée entouré d'eau et battu par les vents ?"

On lui servit un repas excellent à base de homard et à peine deux heures s'étaient écoulées que le curé réapparut avec un homme apprêté avec un soin tout particulier, bien peigné, rasé de près et magnifié dans ses habits du dimanche.

Jules ne put s'empêcher de constater à la façon dont cet ancien habitant de la mer des Indes avait de présenter le goémonier sous son meilleur jour, de lui faire ouvrir adroitement la bouche pour qu'on lui vérifie les dents, de le faire gigoter et sauter d'un pied sur l'autre pour qu'on lui admire la dextérité des membres, qu'il était à son affaire en matière de présentation de marchandise humaine.

– Bréval Botquelen, vingt-cinq ans. Son bateau s'est échoué et la famille de la fille dont il est amoureux ne le veut pas comme gendre parce qu'il est trop pauvre. Il m'a dit être d'accord pour servir à la place de votre beau-frère au prix que vous proposez.

Le pauvre diable, à l'énoncé de son nom, esquissa un timide sourire afin de se rendre aimable à son acheteur.

— Il a l'air en pleine santé.

Puis s'approchant de plus près.

— Il brille même.

— Vous le vouliez joli ; je l'ai enduit d'huile de palme.

— Bien, il me plaît, je le prends.

L'homme d'Église traduisit en breton les modalités du marché à Botquelen qui, l'air absent, approuva, tout en ajoutant en langue bretonne une précision qui semblait déterminante pour lui.

— Il désire qu'il soit dit dans l'acte notarié que vous ferez rédiger à Brest que la moitié du prix à toucher au moment de la signature soit versée à Corentine Malgorn, la fille qui lui a demandé sa main. Il me dit de vous dire qu'il part lui faire ses adieux et qu'il vous rejoindra au départ du bateau.

— J'ai bien entendu *la fille qui lui a demandé sa main*…

Le curé soupira, fataliste :

— Eh oui, elles font ça aussi !

Vers 17 heures, Jules était à nouveau à bord du lougre et regardait l'île s'éloigner.

Il se figurait comme un de ces explorateurs des romans de Jules Verne qu'il aimait tant. Ces voyageurs qu'on prenait pour des fous lorsque, une fois de retour chez eux, ils tentaient de raconter ce qu'ils avaient vu lors de leurs extravagantes aventures.

Une île où les femmes demandent leur main aux hommes ; qui pourrait croire à une chose pareille ?! Il se promit qu'un jour il reviendrait dans ce pays de cocagne ou qu'au moins il raconterait ses aventures pour les vendre à une quelconque feuille de chou parisienne.

Il n'avait plus peur de s'échouer. Il se sentait d'humeur lyrique dans ce décor grandiose, mené au travers du danger par ces marins aguerris. Il contemplait le beau 5 pieds 6 pouces qu'il ramenait à sa famille et se félicitait de donner à l'Armée une si belle recrue. Heureusement qu'il y avait le peuple pour conserver en son sein les antiques vigueurs de la race française, parce que s'il fallait compter sur la bourgeoisie où ne poussaient plus que des rejetons débiles comme son beau-frère Auguste, on n'était pas près de la gagner cette damnée guerre contre la Prusse.

Quant à Breval, n'ayant jamais mis les pieds sur le continent, il n'imaginait même pas de quoi pouvait avoir l'air le monde ; alors Paris ou la Lune… Dans ses habits du dimanche, il prit le parti de se tasser dans un coin du bateau et de se laisser voguer dans le souvenir de la douce chaleur du corps de Corentine avec laquelle il venait de faire l'amour pour la première fois.

6

Ça ne m'a pas pris longtemps pour trouver une explication bien plus plausible que celle qu'on m'avait servie à propos de l'origine de mon nom. C'est parti d'une question toute conne : si rien ne figurait sur l'état civil d'Auguste à propos de sa date de décès alors qu'il avait eu vingt ans en 1869, soit un an avant la déclaration de guerre contre la Prusse, c'était peut-être tout simplement parce qu'il était parti au front et qu'il y avait trouvé la mort... Les hommes à cette époque ne portaient pas de plaque d'identification et, lorsqu'ils étaient tués et qu'on retrouvait leur corps, on les fouillait vite fait pour voir s'ils avaient des papiers sur eux qui eussent permis de les identifier puis on les balançait dans une fosse avec ceux du camp d'en face pour éviter les maladies.

C'est donc parce que j'aurais aimé au moins connaître l'histoire du régiment dans lequel il avait été enrôlé pour imaginer comment s'étaient passées ses dernières heures que je me suis mise à fouiller.

Je n'ai même pas eu à bouger de chez moi car les registres d'incorporation militaire de Seine-et-Oise, vu qu'il était de Saint-Germain-en-Laye, sont disponibles avec leurs fiches matriculaires sur Internet à partir de 1867 pour les fans de généalogie. Et savez-vous ce que j'ai trouvé au nom de de Rigny ? Je vous le donne en mille...

Auguste, un grand machin maigre de 1 mètre 77 aux cheveux blonds, aux yeux bruns, au nez droit, au grand front et au visage ovale avait tiré au sort le 18 janvier 1870 et été incorporé au 28ᵉ de ligne le 18 juillet, soit la veille de déclaration de guerre de la France à la Prusse. Et puis à la case *décision du conseil et motif,* en dessous de son état civil et de sa description physique, il y avait inscrit la mention suivante : *remplacé par le sieur Breval Botquelen né le 14 août 1845, goémonier, selon acte notarié établi le 16 juillet 1870 par-devant Maître Hippolyte Marie de Kersauzon de Pennendreff, notaire à Brest.*

Là voilà, la bonne pièce du puzzle !
Breval Botquelen.
Un nom bien de chez moi, émergeant du temps comme un morceau de bois gorgé d'eau remonte un jour des profondeurs.
Jadis, pour ma thèse, j'avais été amenée à étudier le roman *Sébastien Roch* d'Octave Mirbeau et je m'en suis souvenue tout de suite :

Aujourd'hui, j'ai tiré au sort, comme on dit, et il m'a été défavorable. Mon père m'a acheté un remplaçant. Je reverrai toujours la figure de ce marchand d'hommes, de ce trafiquant de viande humaine, lorsque mon père et lui discutèrent mon rachat, dans une petite pièce de la mairie. (…) Ils marchandèrent longtemps, franc à franc, sou à sou, s'animant, s'injuriant, comme s'il se fût agi d'un bétail, et non point d'un homme que je ne connais pas, et que j'aime, d'un pauvre diable qui souffrira pour moi, qui sera tué peut-être pour moi, parce qu'il n'a pas d'argent. Vingt fois, je fus sur le point d'arrêter cet écœurant, ce torturant débat, et de crier : "Je partirai !" Une lâcheté me retint. Dans un éclair j'entrevis l'existence horrible de la caserne, la brutalité des chefs, le despotisme barbare de la discipline, cette déchéance de l'homme réduit à l'état de bête fouaillée. Je quittai la salle, honteux de moi, laissant mon père et le négrier discuter cette infamie.

J'ai immédiatement écrit aux Archives notariales du Finistère pour obtenir la copie de cet acte de vente du

16 juillet 1870 auquel cette fiche matriculaire faisait référence.

À mon retour de Bretagne, pendant mon congé maladie, je ne me suis pas contentée de me lancer dans des recherches historiques sur ma famille, j'ai également fait quelque chose de bien.
Je le dis clairement et sans équivoque : *j'ai fait quelque chose de bien !*

Afin de déposer les papiers de la Médecine du travail et de donner quelques consignes à mon amie Hildegarde pour qu'elle me remplace pendant mon absence, je suis retournée dans ce maudit nouveau Palais de Justice. J'en ai profité pour me prendre quelques CD-ROM de stups, histoire de ne pas trop glander, ainsi que le dossier *Oilofina/de Rigny* auquel j'avais à présent accès sans le demander à ma copine, les bases de données du service des délits financiers ayant fusionné avec les nôtres. Je l'ai fait comme ça, par curiosité, sans idée préconçue. Le soir, après avoir couché Juliette, je me suis installée sur mon lit avec mon ordinateur sur les genoux. J'ai introduit le disque dans le lecteur avec l'idée première de lire un bon roman d'aventures avant de m'endormir.

Début 2013, cousin Philippe a eu vent d'un stock de 30 000 tonnes d'un hydrocarbure provenant d'un raffinage raté de pétrole brut. Parce que beaucoup trop soufré, ce *naphta* – c'est le nom que portait ce distillat – était invendable sur le marché sauf à être traité à nouveau. Il encombrait les citernes d'un terminal pétrolier aux États-Unis et son propriétaire voulait s'en débarrasser à un prix défiant toute concurrence.

Le patron d'Oilofina s'est alors dit qu'avec un peu d'ingéniosité et d'audace, il pourrait acheter ce naphta déficient et s'occuper lui-même de sa transformation en diesel de qualité médiocre qu'il revendrait aux Africains en se faisant un petit billet au passage. En Europe les carburants mis sur le marché ne doivent pas dépasser une certaine concentration en soufre à cause des normes antipollution, mais en Afrique c'est différent, les gens circulent avec des épaves qui fonctionnent au gasoil avec un dosage cinq cents fois supérieur à la norme que les courtiers nomment *le diesel de qualité africaine.* Des millions de gens meurent chaque année de maladies respiratoires à cause du dioxyde de soufre, mais tout le monde s'en fout et les courtiers comme de Rigny arrosent les gouvernements pour que les normes, ou plutôt l'absence de normes reste en l'état.

L'odyssée commence.

Trois personnages dans cette histoire : le cousin, bien sûr, avec son sens génétique des affaires. Un obscur capitaine de navire russe, soutier de la mondialisation, habitué à recevoir ses ordres par téléphone satellite sans jamais rencontrer ses employeurs. Et bien sûr l'Afrique. L'Afrique, qui rime avec fric, corruption, lampiste, impunité, coup d'état... Gros gâteau.

Le métier de Philippe de Rigny c'est courtier en pétrole et pas raffineur, mais ça ne fait rien parce qu'il n'y a rien qu'un de Rigny ne sache faire.

Il décide donc de désoufrer son naphta lui-même en lui appliquant un procédé ancestral et polluant – le mérox – qui consiste à le laver avec de la soude caustique. On met le naphta et la soude dans une cuve à l'air libre et au bout de vingt-quatre heures un diesel dégueulasse flotte en surface alors que le soufre, combiné à la soude et à l'oxygène, tombe au fond de la cuve. Ce dépôt résiduel est ultra toxique et corrosif, il a l'allure d'un épais sirop noir qui émet un gaz puant la mort : le mercaptan connu de tous parce qu'on s'en sert pour parfumer le gaz de ville afin de détecter les fuites. Le cousin a calculé que s'il méroxait lui-même et au rabais ses 30 000 tonnes de naphta bon marché et qu'il revendait le gazole ainsi obtenu aux Africains, il se mettrait 7 millions de dollars dans la poche. Et pour se faire une marge encore plus grosse, il décide de réaliser la réaction chimique lui-même – où ça ? – ben en haute mer, voyons, à même son tanker, en zone internationale, là où personne ne viendra le faire chier.

Pour ce faire, il affrète une ruine flottante provenant d'une casse du Bangladesh et il recrute un équipage au rabais dont aucun membre ne parle la même langue et ne pose de question. Le capitaine russe a pour ordre de faire sa première escale en Europe afin de prendre livraison de 50 m^3 de soude liquide qu'il déclarera servir au nettoyage des citernes du vieux tanker. Le navire partira ensuite vers l'Afrique, mais s'arrêtera un temps au large de Gibraltar où l'attendront plusieurs autres bateaux revenus des États-Unis où ils sont allés prendre livraison du naphta. Et c'est là, en haute mer, *ship to ship*, que s'effectuera le mélange, les bateaux étant séparés par de vieux Fender pourris pour que leurs coques ne s'entrechoquent pas. À tout moment ça peut tourner à la catastrophe écologique, mais de Rigny s'en fout ; après tout, ce sont des choses qui arrivent, surtout en zone internationale.

Pour surveiller son raffinage sauvage, à presque soixante-dix ans il se fait héliporter sur le bateau avec dans les bras 8 kg de catalyseur au cobalt servant à activer la réaction chimique. Son âge pour être trimballé ainsi, suspendu dans les airs, est un détail intéressant à noter afin de comprendre à quel point le fait de regarder son fric se faire en direct lui donne de la joie. La mixture circule de cuve en cuve et les 30 000 tonnes de naphta sont gentiment lavées, le taux de soufre baissant suffisamment pour fabriquer un très mauvais diesel de *qualité africaine*.

L'opération terminée, le Russe repart avec son tanker pour aller livrer le diesel que de Rigny vient de vendre par téléphone au Togo et au Nigeria. Mais une fois le bateau vidé de son hydrocarbure, il lui reste encore à se débarrasser du sirop noir soufré ultra toxique : le *slop*. Le problème c'est qu'à Lagos, seul port capable de retraiter les déchets de raffinage, on n'en veut pas, le terminal pétrolier étant dirigé par un ancien d'Oilofina qui connaît visiblement trop bien de Rigny pour l'accepter. Au Ghana, on lui présente une note de 3 millions d'euros, le même prix qu'en Europe, de quoi ruiner sa marge. Il ne peut pas non plus balancer son slop en pleine mer car, comme il a commis l'erreur de chercher à un moment à le retraiter, il a rendu ses déchets toxiques traçables. Si par extraordinaire Oilofina se faisait prendre en train de faire du dégazage sauvage, cela serait considéré comme une faute de goût impardonnable dans le petit monde du pétrole.

Grace à Dieu, il lui reste la Françafrique. C'est vers elle, où il a des appuis indéfectibles, que de Rigny va se tourner pour qu'on le débarrasse de sa saloperie.

On... Des amis politiques, des gens au Quai d'Orsay, on ne saura jamais... ON lui a trouvé en Côte d'Ivoire une super société spécialisée en nettoyage de cales de navires dirigée par un lampiste complètement débile et dont les actionnaires sont tous des types de la douane et des administrateurs du port ultra corrompus. Après avoir arrosé qui de droit, il signe un contrat de *retraitement à l'africaine* de ses déchets pour un prix ridicule sans que le lampiste ne l'interroge une seule seconde sur leur nature. L'homme d'affaires transfère donc sa responsabilité juridique sur le respectable lampiste et le slop est pompé hors du navire en direction d'une flottille de camions-citernes rouillés qui s'égaillent aux quatre coins de la ville. De Rigny, avec la satisfaction du travail bien fait, rentre chez lui et le Russe repart avec le tanker vide en direction de la casse.

Ensuite, ce qui devait arriver arrive : le slop est déversé en l'état dans les décharges d'Abidjan. Le sirop noir brûle à mort plusieurs personnes dont des gamins qui fouillent les ordures. Quant au mercaptan, il intoxique gravement plus de cent mille riverains et déclenche une psychose qui se met à ressembler de très près à une guerre civile. Mais ce n'est pas de la faute de de Rigny qui n'a rien commis d'illégal. Alors, quand Transparency International porte plainte contre lui *in personam* et contre sa société Oilofina pour corruption d'agents publics étrangers afin d'essayer de rapatrier le contentieux de ce désastre écologique en France et éviter ainsi qu'il se règle à coups de bakchichs, cousin Philippe crie à l'injustice et à la persécution.

Les années passent, l'ONG peine évidemment à administrer la preuve de la corruption et ce dossier ouvert en 2014 limace vers le non-lieu. Et parce qu'en Françafrique on a la mémoire à géométrie variable, de Rigny reprend donc tranquillement son business pétrolier avec la Côte d'Ivoire.

Mais, il y a quelques mois, coup de tonnerre : nos amis africains sont tout à coup devenus rancuniers. Pour une obscure raison, Oilofina est tombée en disgrâce et le pouvoir en place a fait arrêter son fils Pierre-Alexandre sur le tarmac où l'attendait le jet privé dans lequel il s'apprêtait à monter après avoir signé des contrats pour son papa à Abidjan. Et vu le nombre de courriers alarmants adressés au Quai d'Orsay par ce dernier, il n'avait pas l'air de se plaire dans la prison de Maca où il était incarcéré.

La lecture de ce dossier, loin de me distraire ou de m'accompagner vers le sommeil, m'a mise dans une colère extrême.

Qu'on puisse tout d'abord considérer ostentatoirement qu'une partie de l'humanité ne vaut rien parce qu'elle habite dans un pays pauvre et corrompu, était pour moi inacceptable.

Ce qui m'indignait ensuite, c'est le peu de cas qu'on faisait de la mer. Ça n'est pas rien, pour moi, la mer. Toute mon enfance j'ai infusé en elle et, où que je me trouve, elle m'imprègne. La rumeur marine, le bruit incessant de ces milliards de cailloux roulant les uns sur les autres, le son des vagues qui cognent sur la digue du port, je l'entends toujours dans mon sommeil. La mer et les animaux qui y vivent, personne ne songe jamais à les protéger contre des pourritures sans scrupules comme de Rigny et son rejeton. Si personne n'arrête ces gens, ils continueront à s'approprier le peu qu'il y a encore à prendre avant que tout disparaisse pendant que des défenseurs de l'environnement sans aucun moyen s'acharneront en vain à sauver ce qui peut encore l'être.

Enfin, et c'était ce qui me révoltait le plus, c'était ma frustration, mon impuissance à comprendre les motivations qui poussaient ces affairistes à détruire l'avenir de nos enfants pour gagner encore plus d'argent, alors qu'ils en avaient accaparé assez pour vivre quatre cents générations. Quel but poursuivaient-ils en pourrissant la vie de ceux qui n'avaient presque rien, pour leur prendre le peu qui leur restait ? Le faisaient-ils par jeux ? Pour se dire qu'ils étaient les meilleurs ? Pour l'ivresse extatique que provoquaient la peine et la destruction ?

Était-ce cette situation qu'envisageait Jésus lorsque, dans un grand moment d'ironie qu'on ne lui connaissait pourtant pas, il a dit : *On donnera à celui qui a et il sera dans l'abondance, mais à celui qui n'a pas, on ôtera même ce qu'il a* ?

La réponse à toutes ces questions était encore plus navrante qu'on ne l'imagine : les de Rigny, en faisant toujours plus d'argent, ne poursuivaient aucun objectif, l'accumulation de richesses n'étant pour eux qu'un processus. Une fois leur fortune lancée au XIXe siècle, la dynamique capitaliste a fait comme une boule de neige. Plus la taille de leur patrimoine était importante, plus ils amassaient d'argent lorsqu'ils le faisaient rouler sur les marchés financiers. Et ça n'était sûrement pas les quelques excentricités qu'ils se payaient avec leurs dividendes énormes – le yacht, la propriété aux îles machin-chose construite par le dernier architecte branché, les fringues, les bijoux, les tableaux et je ne sais quoi encore – qui les empêchaient de réinvestir pour avoir toujours plus.

Voilà un mouvement qui s'est nourri de lui-même pendant un siècle et demi et qui, par essence, s'amplifiait encore et encore jusqu'à ce qu'un petit coléoptère boiteux vienne se coller malencontreusement dans ses rouages.

La dernière page du dossier avait été numérisée il y avait de cela deux jours. Il s'agissait d'un décret de grâce du ministre de la Justice portant libération de Pierre-Alexandre qui devait sortir de la prison de Maca la semaine suivante. J'imaginais le nombre d'intermédiaires qu'il avait fallu mobiliser, le montant de *dotations* qu'il avait fallu promettre, pour en arriver à une telle lettre de cachet !

Ça m'est apparu comme une évidence qu'il fallait arrêter ça. Je n'ai même pas réfléchi. J'ai veillé jusqu'au matin, puis, après avoir mené ma fille à l'école, je me suis rendue à l'ancien Palais où les locaux étaient quasi déserts. Afin de ne pas me faire tracer par mon IP, j'ai profité d'un vieux terminal encore connecté de la galerie d'instruction et j'ai simplement inondé de cette page les réseaux sociaux des journaux africains ainsi que les boîtes mails des associations de victimes dont j'avais relevé les adresses dans le dossier.

À l'époque je n'avais jamais encore voyagé hors de France, mais j'ai toujours entendu mon père et ses copains de la Marchande parler entre eux des différents ports où ils avaient débarqué pendant leur carrière, notamment ceux d'Afrique. Ils en disaient toujours la même chose : peu importe l'endroit, l'atmosphère y était tellement inflammable qu'ils ne s'y sentaient jamais vraiment en sécurité.

Un endroit pouvait être très calme, les gens vaquer tranquillement à leurs occupations, et puis d'un coup, à cause d'une rumeur venue d'on ne sait où, des hordes d'émeutiers en colère apparaissaient dans les rues en brandissant des armes de toutes sortes. Le fait qu'il y ait toujours une élection à l'horizon et des candidats prêts à déverser leur fiel dans les médias venait servir de levain à la révolte. Quand une telle chose arrivait, ça n'était jamais bon d'être un Blanc, toujours plus ou moins suspecté d'être là uniquement pour se faire de l'argent.

C'était ce qui s'était passé en 2014 lorsque le slop d'Oilofina avait fait sa pestilentielle apparition dans les décharges de la ville. Sans prévenir, en un claquement de doigts, parce que l'intolérable était parvenu à son paroxysme, une foule haineuse avait déferlé sur la villa du responsable du port d'Abidjan et sur celle du ministre de l'Environnement, avait fait décamper leur garde rapprochée, avait pillé tout ce qui avait pu être amassé à l'intérieur, puis avait mis le feu au reste. L'annonce quatre ans plus tard sur les réseaux sociaux de la date et de l'heure d'arrivée d'une délégation composée de Philippe de Rigny accompagné d'un diplomate du Quai d'Orsay et du ministre de la Justice ivoirienne, tous trois envoyés en grande pompe à Maca pour libérer Pierre-Alexandre de prison, a eu le même effet inflammatoire.

La rumeur de l'impunité des responsables du désastre écologique a ricoché et enflé jusqu'à l'émeute… Et la prison a été prise d'assaut.

La foule en colère est allée chercher le père et le fils de Rigny jusqu'au fond du bureau du directeur où ils s'étaient planqués. Dans une confusion totale, les émeutiers les ont traînés dans la rue pendant que le mec des Affaires étrangères s'enfermait dans une cellule et que le ministre et le directeur de la prison se carapataient. Ils se sont acharnés sur cousin Philippe et son rejeton à coups de bâtons et de pierres puis ont aspergé leurs corps mutilés d'essence et y ont foutu le feu.

En Afrique ce genre d'exécution éclair a un nom : *l'instant justice.*

Ça a l'allure d'un orage et tout à coup, lorsque la tension est retombée, ça s'arrête net et tout le monde retourne à ses affaires. Au Quai d'Orsay on est plus analytique d'une certaine manière ; on murmure quelque chose comme : "Dans l'économie mondialisée, l'argent peut se gagner de n'importe quelle manière à condition d'y mettre un minimum de formes et de discrétion. De Rigny n'a pas su faire ; c'est regrettable."

Le coléoptère boiteux a suivi son effet papillon en direct sur Facebook Live, filmé sans doute par un des destinataires de sa lettre, puis, après avoir rabattu l'écran de son ordinateur, il est retourné à ses recherches sur Auguste de Rigny et Breval Botquelen, son remplaçant, avec la satisfaction d'avoir fait quelque chose de bien.

— Allons, les garçons, s'il vous plaît… Ne pourrions-nous pas, pour une fois, profiter des joies tranquilles de la famille ? fit Casimir en tapotant de son couteau le coin de son assiette.

Et il leva son verre :

— Allez… À Auguste !

Ferdinand ignora le toast tout en tourmentant son frère :

— Que voulais-tu à la fin, le serrer dans tes bras ? Vous l'auriez vu, mon père, avec son remplaçant, on aurait dit une fille-mère à qui on aurait arraché l'enfant pour le confier à l'Assistance. Tu étais grotesque !

— À la victoire ! initia timidement Berthe, la sœur d'Auguste, en levant à son tour son verre.

Ce dernier, la tête entre les mains, arrivait à peine à contenir sa colère.

— J'aurais voulu avoir le temps de le remercier, figure-toi. Tout à l'heure, quand les gradés du conseil de recrutement l'ont fait signer, il ne comprenait pas un traître mot de ce qu'on lui disait. Toi et Jules, vous m'auriez laissé une seule journée, une pauvre journée… la journée à laquelle j'avais encore droit, et j'aurais télégraphié pour faire venir un Breton à Saint-Germain…

— Tu aurais *télégraphié pour faire venir un Breton*, répétait ironiquement Ferdinand tout en détachant chaque syllabe.

— Parfaitement ! Un Breton. Pour qu'il lui traduise son ordre de mission. Mais non, il a fallu qu'on l'expédie à l'abattoir après vingt heures de train, comme une vulgaire bête.

Le beau-frère Jules objecta :

— Une bête qui a voyagé en première classe, je tiens à le préciser. J'ai dû le garder avec moi pour ne pas qu'on vous le vole.

Ferdinand leva les yeux au ciel :

— Un Brest-Paris en première pour de la gueusaille, on aura vraiment tout entendu ! Et il fallait le remercier en plus de ça ? On ne remercie pas quelqu'un à qui on donne 11 000 francs !

Casimir tenta à nouveau de porter un toast en l'honneur de son fils :

— À Auguste, fit-il avec moins de conviction.

— À la France ! cria Jules avec toute la joie que les 2 000 francs ainsi que le financement de ses orgies, barbotés en toute impunité à sa belle-famille, avaient mise dans son cœur. Dans moins d'une semaine votre remplaçant sera à Berlin et quand son service sera terminé, il s'en retournera dans son île tout auréolé de gloire pour convoler avec son amoureuse. Vous pourrez même aller le voir si vous voulez et constater comme il est heureux dans son petit paradis, avec plein de médailles accrochées à sa marinière.

Berthe tenta de changer de sujet avant que la conversation ne dégénère à nouveau :

— Racontez-nous, mon ami... Qu'avez-vous donc trouvé là-bas ?

— L'innocence perdue des premiers âges, voilà ma chère ce que j'ai trouvé sur cette île. Des gens simples, vivant de culture et d'élevage, très loin des laides réalités de notre monde moderne. Leur vie est rude, certes, mais ils ont su rester très gais. Et puis il y a la mer ; son spectacle, là-bas, est d'une indescriptible beauté.

— Comme c'est charmant !

— C'est tout à fait ça : c'est charmant. Mais extrêmement dangereux de s'y rendre car lorsque la houle
découvre les rochers, on dirait qu'ils vous attirent. C'est
pour cela que l'endroit a su préserver certaines traditions
extrêmement étonnantes.

Casimir se sentait tellement soulagé d'avoir arraché
son jeune fils à la conscription qu'il buvait verre sur verre
et se sentait un peu gris.
— Maintenant que cette chasse à l'homme s'est ter-
minée d'une si heureuse manière, qu'entends-tu faire,
Auguste, de ton avenir ? l'interrogea-t-il, l'esprit léger.
— Avec deux de mes amis nous pensons à l'enseignement.
— Enseigner ? Bon… Où ça ? À l'université ?
— Oui, à l'université populaire.
— C'est quoi, encore, ça ? fit Ferdinand, cinglant.
— Un lieu où l'on donnera aux gens l'occasion de
transformer ce qu'ils ont vécu en savoir politique. Où
on leur apprendra à agir d'eux-mêmes en partageant
leurs expériences. Un lieu où simplement on créera du
possible. Mais surtout un lieu laïc où on ne les perver-
tira pas avec l'espoir mystificateur d'une vie meilleure
après la mort pour qu'ils acceptent leur misère présente.
Condorcet l'a dit : *Le genre humain est partagé entre les
hommes qui raisonnent et les hommes qui croient.*
C'en était trop pour Ferdinand dont le visage se
déformait en un horrible rictus au gré des explications
enthousiastes de son frère :
— *Créer du possible…* Mais on ne comprend même
plus ce que tu racontes, mon pauvre Auguste ! Ton problème, c'est que tu ne fiches rien et que tu gamberges
trop. Viens donc avec moi visiter nos chantiers, tiens…
Est-ce que tu sais par exemple ce qu'il y a de plus terrible
sur un chantier ? Non ? Je vais te le dire : un ouvrier

qui sait lire ! Il glane ici et là des bouts de savoir qui lui montent à la tête au point de croire que tout lui est dû. Et il contamine les autres. Des déclassés, des aigris vindicatifs, des gens dangereux, voilà ce que ça donne d'éduquer la populace. Thiers l'a bien dit : *Un peuple instruit est un peuple ingouvernable.*

Le vieux Casimir, après un court moment de répit, redégringola dans ses affres : "Mais comment pouvait-on devenir un Rouge lorsqu'on était un de Rigny ?" songea-t-il.

Son plus jeune fils, en plus d'être d'une faible constitution, devait être atteint d'une maladie caractérielle innée. Il ne voyait que ça. Un genre de fatalité organique qui avait dû le frapper dans le ventre de sa mère. Une affection qui s'ajoutait à toutes celles qu'il avait attrapées enfant.

Alors, d'une voix lasse qui trahissait son désarroi, il dit :
– Mais enfin, Auguste, la véritable grandeur du peuple est dans sa foi en Dieu et dans son ignorance. Dans le sacrifice spontané de son existence à notre bien-vivre. Vouloir y mettre fin, lui apprendre à lire et à raisonner, reviendrait à scier la branche sur laquelle tu es assis. Mais pourquoi veux-tu consacrer ta vie à une chose pareille ?

7

Ce jourd'hui 16 juillet 1870, par-devant Maître Hippolyte Marie de Kersauzon de Pennendreff, notaire à Brest, le sieur Breval Botquelen, goémonier, né le 24 février 1845, cheveux bruns, yeux gris, front bombé, nez gros, jambes droites, visage rond, teint frais, bouche moyenne, dents toutes, taille 1 mètre 68… déclare s'obliger à servir dans les armées comme remplaçant du sieur Auguste de Rigny de la commune de Saint-Germain-en-Laye, et cela pendant le temps où celui-ci est tenu par la loi au service. Monsieur Jules de Brassac mandaté, en l'état, Monsieur Casimir de Rigny, père du susnommé Auguste de Rigny, mandataire, par la suite, versera bien légitimement la somme de 8 000 francs selon l'échéancier suivant : 4 000 francs à l'instant même de la signature en monnaie comptée et délivrée à la vue du notaire soussigné. Et le surplus un an et un jour suivant la date d'incorporation au corps pendant lesquels le remplacé est responsable de son remplaçant envers le gouvernement sauf en cas de décès en service où la somme sera réglée immédiatement. Ce versement se fera sur présentation d'un certificat de présence au corps treize mois après son admission. Mentionnons à la demande du sieur Botquelen que la somme payée en étude ainsi que copie de l'acte devront être délivrées à Mademoiselle Corentine Malgorn immédiatement.

Voilà.

Mon véritable ancêtre, le père biologique de mon grand-père, n'était certainement pas Auguste de Rigny mais Breval Botquelen, un très beau spécimen de chair à canon âgé de vingt-cinq ans, mesurant 1 mètre 68, au teint frais et aux cheveux bruns, à la bonne dentition et aux jambes impeccables. Il n'était ni de la Marchande, ni de la Royale, ni même pêcheur, mais goémonier. Un paysan de la mer. Un pauvre.

Il a suivi un Parisien, Jules de Brassac, pour être vendu à un bourgeois qui s'appelait de Rigny en laissant derrière lui une fiancée, Corentine, mon arrière-grand-mère. Il a pris la décision de se vendre comme remplaçant militaire sûrement parce que les Malgorn n'en ont pas voulu comme gendre, d'où la fâcherie et la malédiction sur un siècle.

Comme cadeau d'adieu, il lui a visiblement collé un môme parce que le grand-père Renan Astyanax est né pile neuf mois après la vente. Dès que sa grossesse s'est vue, Corentine a dû se faire jeter par sa famille. Alors elle n'a pas eu d'autre choix que de partir sur le continent pour retrouver son chéri afin qu'il reconnaisse l'enfant, sauf qu'entre-temps la guerre de 1870 a éclaté et que ce dernier a disparu au front. C'est donc Auguste, le type pour lequel son père l'avait acheté, qui l'a reconnu sans doute par idéal politique, mais aussi et surtout pour réparer le fait qu'un homme soit mort à sa place.

Arrière-grand-papa avait couté 8 000 francs en 1870 à la famille de Rigny. Je n'étais pas dupe : ça n'était pas la vie de mon aïeul, obscur goémonier, qui valait ce prix-là ; il s'agissait de la somme qu'avait été capable de débourser son acheteur pour éviter d'exposer son fils au risque de se faire tuer.

Il est à noter, et je l'ai appris en me documentant sur la question, qu'il s'agissait là, à la veille de la guerre de 1870, du seul moment de l'histoire où le cours du pauvre est parvenu à un tel niveau. C'est également au XIXe siècle, avec l'apparition du capitalisme tel qu'on le connaît aujourd'hui, que des philosophes, notamment

Engel et Marx, ont commencé à réfléchir à la notion de réification de l'être humain. Outre les esclaves de l'Antiquité et du Nouveau Monde, qui n'étaient pas considérés par le droit comme des personnes, mais comme des biens meubles, la possibilité de fixer un prix pour un homme a été officialisée lorsque la loi Gouvion-Saint-Cyr est venue encadrer en 1818 la pratique du remplacement militaire qui se faisait déjà depuis l'an VI, mais qui avait donné lieu à moult procès et scandales.

Un prix des hommes existe toujours, mais son calcul ne répond plus aussi directement à la loi de l'offre et de la demande. Certains le fixent à cent vingt fois le PIB d'un pays par habitant. Avec cette méthode de calcul un Français vaut 5 millions de dollars, un Américain 6,5 millions et un Érythréen 70 000, soit à peu près le prix du 4 X 4 qui pourrait potentiellement l'écraser pendant un rallye. D'autres le font tourner autour de deux notions : l'utilité conditionnelle d'un individu et la somme d'argent qu'une société est prête à débourser pour sauver une vie. Avec ces calculs, un Français vaudrait aux alentours de 3 millions, quant à un Érythréen, disons poliment qu'il est impossible de calculer son prix. Une fois ce chiffre fixé, les États ont les moyens de faire des arbitrages en matière de dépenses de santé ne s'intéressant donc pas aux maladies rares telles que celle qui affecte ma copine Hildegarde. Même chose en matière de travaux publics. Derrière chaque aménagement comme par exemple un carrefour ou un passage à niveau, derrière toute infrastructure impliquant la préservation d'une vie, il y a nécessairement son évaluation monétaire.

Dans notre affaire, il semblerait qu'Auguste de Rigny s'est vu attribuer par sa famille une utilité telle qu'elle a justifié sa non-opposition au risque à prix d'or... et son père n'a pas jeté son argent par les fenêtres parce qu'en achetant mon ancêtre, il a probablement réussi à sauver la vie de son fils de la lamentable boucherie que s'est révélée être la guerre de 1870.

Que voulait me dire ce très jeune homme qui agitait les bras à un endroit précis du passé pour que je ne l'oublie pas ? Qu'avait-il fait de sa vie ? La culpabilité qu'il aurait pu ressentir parce qu'un improbable goémonier était mort à sa place ne venait en aucune manière réduire la portée de son geste, vu qu'en 1870 on ne s'encombrait pas de ce genre de détails. Mieux, qu'un pauvre meure à la place d'un riche était perçu comme la juste expression de l'ordre cosmique. Ça m'a plu sinon de le découvrir, du moins de l'imaginer...

Et puis c'était plutôt impressionnant de tenir en main l'acte de vente de son aïeul. Pauvre Botquelen ! Mort comme un chien au bord d'une route. Englouti par le temps, il ne restait de lui que de vagues traces. Une description faite à la va-vite par un notaire de province et un petit garçon qui ne portait même pas son nom et dont j'étais la seule à connaître la filiation. Et tiens, puisqu'on en parle, de mon grand-père, le vieil estropié juché sur son tonneau, voilà encore une génération de chair à canon, de réserve organique dans laquelle la France est venue copieusement se servir. Le destin a été drôlement têtu dans cette famille.

Il pleuvait à verse. Morte de fatigue, Clothilde récupérait, les pieds en hauteur, après avoir à nouveau arpenté Paris de long en large pour rafler dans les magasins d'alimentation les dernières boîtes de mouton d'Australie, de sardines ou de pâté qui restaient.

— Ah ! du courrier, moi qui pensais que nous étions coupés du monde ; merci, Rosalie.

— Madame, il me faut de l'argent pour le dîner de demain.

Sa patronne sortit de sa manche sa bourse pour y prélever une poignée de pièces.

— Ah non, avec ça, madame, j'ai un poireau et un oignon, et encore il faudra que j'aille jusqu'aux Halles pour les trouver. Et avec les légumes et les œufs de Monsieur, croyez-moi, ça devient un sacré casse-tête, ces courses.

Auguste leva les yeux de son journal. La Sorbonne était fermée ou plus exactement transformée en caserne ; il ne faisait donc plus que ça : lire le journal.

— Je ne suis pas un imbécile, Rosalie ! Je sais m'adapter. Vu le contexte, je mangerai ce qu'on me donnera… Je suis en train de la boire jusqu'à la lie cette guerre, alors un peu plus un peu moins, au point où on en est…

— Pendant que nous parlons de votre régime, mon cher neveu, il y a des soldats qui meurent pour la France, fit Clothilde sèchement.

— Qu'est-ce que vous croyez ? Il ne se passe pas un jour sans que j'y pense, à mon Breton ! J'en rêve toutes les nuits ! Et puisque nous en sommes à amalgamer régime alimentaire et patriotisme, sachez que pendant que vous visitez les marchands de comestibles pour organiser vos mardis, ceux qui font vraiment quelque chose à Paris, les gardes nationaux qui surveillent nos remparts, ils le font l'estomac vide parce que leur solde ne leur permet pas d'acheter toutes ces victuailles.

Et, voyant qu'il avait froissé sa tante, il reprit plus doucement :

— Si je vous dis ça, c'est parce que je ne veux pas que vos amis ne viennent à vos dîners que pour avoir une assiette pleine.

Clothilde fouilla dans sa bourse.

— Ce n'est pas les Prussiens qui m'empêcheront de faire mon mardi… Combien pour un lapin ?

— J'en ai vu à 50 francs ! fit Rosalie en soupirant, elle aussi fatiguée de ces perpétuelles cavalcades pour une tête de céleri ou un morceau de viande. Je suis dans une histoire de cochons élevés en appartement ; on m'a promis un pied, mais ça n'est pas pour tout de suite.

— Mais quelle horreur ! fit Auguste en soupirant. Il ne manquerait plus que cela soit dans notre immeuble.

— Justement, c'est chez les Blin.

— Mais quelle horreur !

— Vous nous ennuyez à la fin avec vos *quelle horreur* ! Cinquante francs pour un lapin, mais c'est vingt fois le prix ! Comment vont faire les petites bourses ?

— Parce que vous vous intéressez aux pauvres maintenant ; le siège a du bon !

Si la bonne n'interrompait pas leurs chamailleries, cela pouvait durer des heures :

— Ils ont prévu des fourneaux dans les mairies et ils parlent de distribuer des cartes de rationnement pour le pain et la viande parce qu'ils commencent à abattre les troupeaux du bois de Boulogne, du parc Monceau et du Luxembourg ; il paraît que les bêtes y crèvent toutes sur pied.

— Bon, Rosalie, prenez toute ma bourse et déployez votre génie domestique pour me composer un repas correct. Et si vous trouvez encore des boîtes, achetez-les ! N'importe lesquelles. Achetez tout ce que vous trouverez.

Clothilde tourna et retourna la lettre de Casimir.

— Elle date d'il y a trois jours, cette lettre. Je ne sais pas pourquoi tout le monde se désespère alors que le courrier n'a jamais été aussi rapide. Tenez, lisez-la-moi. Racontez-moi comment va mon frère.

Auguste s'exécuta :

Mon cher fils, ma sœur,
C'est trop tard, nous ne viendrons plus à Paris nous réfugier chez vous. Je profite du dernier train qui quitte Saint-Germain demain soir pour vous faire parvenir ce courrier. Il sera plus aisé pour vous de nous écrire car il paraît qu'ils vont mettre en place un système de poste par boule en zinc qui suivra, telle une bouteille à la mer, le cours de la Seine et qui pourra contenir jusqu'à 700 lettres. Ou alors par aérostat. Je me suis renseigné : un ballon postal partira toutes les fins de semaine de Montmartre ou de La Villette. Alors ne nous laissez pas sans nouvelles.
Il y a bien eu autour de chez nous quelques travaux défensifs du genre abattis d'arbres et chaussées dépavées pour ralentir l'avance des Prussiens, mais je n'y crois guère car nous n'avons ni armée ni canon pour défendre la place. Il n'y a plus non plus de gendarme et de garde forestier, et la ville est si déserte qu'on la dirait frappée par une épidémie. À l'heure qu'il est, nous sommes donc complètement livrés à nous-mêmes.
Quoi qu'il en soit, maintenant que la fièvre de la défense est retombée, il y a celle de l'attente et elle est insupportable.

Cela fait une semaine que nous bivouaquons sur la terrasse de la maison afin d'être à notre aise pour scruter l'horizon avec la longue-vue. C'en est au point que nous en sommes à espérer comme une délivrance le moment de la catastrophe. Mais ça y est, je crois qu'on y est. Ce matin le frère de la bonne qui est de Chanteloup-les-Vignes a débarqué à la maison pour nous annoncer que son village avait été investi par un bataillon de uhlans. Ils seront chez nous ce soir si personne ne songe à faire sauter le pont de Poissy, ce qui est probable compte tenu de l'inanité de notre armée.

Comme vous ne le savez sans doute pas, Saint-Germain a fini par se rallier à la République le 11. Auguste, je te l'annonce : ton frère siège au nouveau conseil municipal ; il en a profité pour entrer en politique.

Les Prussiens continuent à avancer sans rencontrer aucune résistance et inondent la région de leurs troupes. Chaque ville où ils débarquent se fait rançonner et c'est dans la poche des bourgeois qu'on vient prendre l'argent. Ferdinand dit que nous n'avons rien à craindre de par notre position et nos relations privilégiées avec M. Thiers qui est, dit-on, très bien vu de ces gens. Nous serons néanmoins obligés de leur ouvrir nos portes car les officiers investissent tous les hôtels particuliers confortables. Il paraît qu'ils sont bien élevés et francophiles ; c'est déjà ça. Donc ne le prends pas mal, Auguste : je vais devoir donner ta chambre à un officier prussien.

Je sais que de votre côté, vous vous préparez au siège. Les plus jeunes de nos voisins qui sont partis se réfugier à Paris ont raconté à leur famille les troupeaux de vaches et de moutons qui ont envahi les parcs et les jardins. La soldatesque sur les boulevards. Les villages rasés de la petite ceinture, les énormes remblais et les murs d'enceinte défendus par des canons. C'est du solide, ces murs, je les ai vus monter. On s'est fichu de Thiers à l'époque où il les a fait construire, mais maintenant,

comme par hasard, tout le monde est bien content de les avoir.
Que du beau moellon et pas de gravats : on ne ferait plus un
si beau travail aujourd'hui.

Sinon à part ces détails insolites, je suis sûr que rien n'a
changé chez vous. Que Paris est toujours aussi insouciante et
que les cafés sont toujours aussi pleins. Jules m'assure qu'il est
impossible aux Prussiens de vous envahir car vous êtes 2 mil-
lions et eux, tant que Bazaine et son armée les tiendront occu-
pés on ne sait où, moins de 200 000. En revanche, ils vont vous
assiéger et vous réduire à l'inanition, alors je vous en conjure,
faites des réserves. Achetez toute la nourriture et les chandelles
que vous pourrez car si on en croit notre ami Pélissier qui
était au siège de Sébastopol, c'est ce qui manquera en pre-
mier. Faites également monter du bois, si le siège dure jusqu'à
l'hiver, je te connais suffisamment, ma chère Clothilde, pour
savoir que tu préféreras mourir gelée plutôt que de sacrifier ne
serait-ce qu'un tabouret.

Auguste fit une pause pour voir la réaction de sa tante.

— Ah, ah, très drôle ! Si nous avons froid, nous irons
aux Folies-Bergère et nous danserons ; voilà !

— Le préfet de police a fermé tous les théâtres ; pour
une question de convenance paraît-il…

— La barbe !

— … Mais les salles accueillent depuis la semaine dernière des clubs où l'on discute de résistance. J'ai déjà assisté
à quelques débats : ça rit, ça invective, ça hurle, ça siffle, ça
expulse… Les gens en viennent aux mains à peu près tous
les soirs ; ça vous plairait beaucoup. Il y a aussi un tas de
génies méconnus qui viennent jacasser sur leurs inventions
héroïques pour débloquer Paris comme la *fusée-Satan* ou
les *doigts prussiques*, ou d'autres qui exposent des idées far-
felues comme empoisonner la Seine ou lâcher les animaux

du Jardin des Plantes sur les Prussiens. Franchement, les Folies-Bergère y ont gagné en intérêt.

– Les doigts prussiques, dites-vous ?!

– Un manchon de caoutchouc que les dames enfileraient sur leur doigt avec une petite vessie remplie d'acide prussique se terminant par une aiguille. La dame envoie un clin d'œil aguicheur au Prussien, il s'approche, elle le pique de son doigt et il tombe raide mort.

– Ont-ils dit où on peut se le procurer ?

– Mais voyons, ma tante, c'est une escroquerie ! Pourquoi l'acide prussique tuerait les Prussiens d'abord ?

– Oh, vous n'êtes pas drôle ! Continuez donc votre lecture.

Il reprit :

Auguste, dans ta précédente lettre, tu m'as dit être désolé de ne pas avoir été pris dans les effectifs de la Garde nationale parce que tu n'étais pas inscrit sur les listes électorales parisiennes. Je ne peux que m'en réjouir. D'abord nous ne t'avons pas payé un remplaçant à un prix démentiel pour que tu risques ta vie à défendre Paris. Ensuite, ton beau-frère Jules m'a dit que depuis que cette armée de fortune proposait une solde de 1,50 francs par jour, tout le monde voulait en être y compris les brutes obtuses et alcoolisées des faubourgs, ce qui lui donne une valeur morale très discutable. Il paraît qu'ils élisent leurs propres chefs et qu'ils demandent à être armés de chassepots soi-disant pour résister aux Prussiens. Tu n'as rien à faire parmi ce vilain monde.

Sinon le petit Perret n'est pas revenu du front ; nous ignorons où il se trouve. Nous attendons.

Je crois vous avoir tout dit. Nous pensons beaucoup à vous. De notre côté, il ne nous reste plus qu'à nous mettre entre les mains de Dieu.

Bonne chance et vive la France !

— Personne ne me parle de mon remplaçant...

— Maintenant que nous avons la République, Paris fera comme un félin qui ramasse ses forces avant de bondir. Nous sortirons à deux cent mille et nous rejoindrons les armées de province qui continuent à se battre.

— Et mon frère qui avance tranquillement ses pions pour facturer à son aise des chantiers de deux cents ouvriers là où il n'en fera travailler que cinquante...

— Nous leur arracherons les tripes !

— Avec ce lézard rampant de Thiers aux commandes, la société familiale va encore se remplir les poches.

— Oui, eh bien quoi ? Pour faire plaisir à ceux qui n'ont rien, il faudrait que nous nous empêchions de gagner de l'argent ? La politique de Thiers, c'est celle des honnêtes gens qui veulent que leur commerce se porte bien.

— Mais enfin, ma tante, c'est pour l'occupant que va travailler Ferdinand !

— Eh bien il n'a qu'à leur facturer le double à ces cochons !

— Un jour j'écrirai un ouvrage sur cette capacité qu'a l'esprit humain de concilier l'inconciliable afin de réduire ses tensions internes. Vous me servirez de sujet d'expérience, ma tante, vous êtes très forte !

— En attendant que vous l'écriviez, votre livre, sortons. Allons dîner chez Brebant tant qu'ils ont encore quelque chose de bon à nous servir.

— Attendez-moi en bas de l'immeuble, je vais chercher le journal du soir.

— Prenez-moi *La Mode illustrée*... Que je voie un peu comment il convient de s'habiller pendant un siège. Le néo-grec, la crinoline projetée, le volant, le crin... Franchement, il faut suivre.

Malgré la pluie, les rues étaient noires de monde. On aurait dit que depuis qu'ils étaient prisonniers, les Parisiens vivaient exclusivement sur les boulevards.

En sortant, le jeune homme croisa quelques voisins réfugiés sous leur parapluie, tous regroupés autour d'un ouvrier en blouse perché en haut d'une échelle en train de desceller la plaque de la rue du 10-Décembre. Parmi eux, il reconnut M. Blin, l'éleveur de cochons en appartement du 4e étage. Ce dernier apostropha l'ouvrier :

– Eh, mon brave, elle va s'appeler comment notre rue maintenant ?

– Rue du 4-Septembre, il paraît, lui répondit une dame avec un chignon en nid de cigogne.

– Vive la République, claironna joyeusement Blin.

En voilà un qui a tourné casaque en une semaine à peine, songea Auguste. Avant la défaite de Sedan et la reddition qui s'ensuivit, si on avait écouté ce charcutier amateur, il aurait fallu défendre l'Empire à mains nues. Le 4 septembre, jour de la proclamation de la République, une belle fête pourtant, avec un soleil radieux, tout Paris dans les rues et zéro goutte de sang versée, il était resté terré au fond de son appartement. Et aujourd'hui le voilà dehors, un œillet rouge à la boutonnière, en train de pousser des cris de joie.

L'ouvrier trempé, que tout ce ramdam sous les parapluies laissait de marbre, dévoila la nouvelle plaque.

– Vive la République ! reprirent en chœur tous les badauds.

Impassible, il finissait de visser le rectangle de tôle émaillée.

– Vous là-haut, qui ne dites rien, fit Blin, la tête levée. Vous ne vous réjouissez donc pas ? Vous préfériez l'Empereur ?!

– Bonnet blanc, blanc bonnet et tous pourris ! fit l'ouvrier en redescendant tranquillement. Ça n'est qu'une enseigne neuve sur une vieille boutique que je visse là. C'est pas du tout ça l'avenir que nous, le peuple, on attend.

Cette dernière phrase fit sur le groupe l'effet d'un seau d'eau glacée qu'on lui aurait lancé à la figure.

– Racaille ! fit M. Blin.

– Je sais très bien ce que vous pensez tous, là… Qu'un jour on viendra avec nos femmes et nos mioches et qu'on reluquera votre bel immeuble en se disant : Dame, on serait joliment bien dedans ! M'est avis que vous devez vous sentir bien coupables pour imaginer des choses pareilles.

Tout à coup la pluie cessa et le soleil apparut.

L'homme s'éloigna calmement avec son échelle sous le regard interloqué des badauds.

Alors que certains se rendaient quotidiennement avec leur longue-vue sur les remparts de Paris pour interroger l'horizon sur l'arrivée des Prussiens, d'autres comme Auguste, à l'heure de la distribution des journaux, se ruaient sur les kiosques et tentaient de prédire l'avenir en décortiquant la presse.

Le soir, à la lueur des becs de gaz, les discussions de trottoir dégénéraient souvent en pugilat et le public était obligé d'intervenir pour séparer les combattants. Il faut dire que jamais l'Histoire ne s'était emballée à ce point, chaque édition contenant son lot de drames, de rebondissements et de contradictions.

Il y avait de cela à peine trois semaines, les journaux ne faisaient état que des victoires de la France, du coup on se flattait d'être les meilleurs, on pavoisait les fenêtres, on chantait partout *La Marseillaise* et ce jusqu'à fin août où arrivèrent dans les familles les premières lettres de soldats.

Sarrebruck, Wissenbourg, Woerth, Reischoffen, l'armée française avait encaissé défaite sur défaite. Les journaux illustrés avaient montré ce carnage avec un tel réalisme qu'il fallait les cacher à la vue des jeunes filles. La presse de gauche avait immédiatement pris le relais en publiant *in extenso* certaines de ces lettres où il était fait état de la nullité stratégique des généraux et de l'impréparation de la guerre. On avait cessé de crier *À Berlin*. On avait retiré les drapeaux des fenêtres et on commençait à raconter des horreurs. On parlait de l'organisation pitoyable de l'intendance militaire, des régiments disloqués qui bivouaquaient au hasard, de l'imprévoyance en matière de munitions et de ravitaillement. Des états-majors qui avaient pensé aux cartes de l'Allemagne à envahir, mais pas un seul instant à celles de la France à traverser, allant dans les écoles pour se repérer. Des généraux qui s'étaient trompés de champ de bataille et d'autres qui avaient tiré sur leur propre camp. Le mot *désastre* s'affichait sur toutes les pages.

Auguste avait vu débarquer Gare de l'Est les premiers soldats de retour du front. Maigres, épuisés, leurs uniformes délavés comme s'ils avaient ramassé un an d'intempéries, tétanisés par la honte, ils fuyaient le regard des passants pour ne pas avoir à raconter la débâcle dont ils avaient été les témoins. Lorsqu'il en croisait un, il se renseignait sur le 28e de ligne, le régiment dans lequel il aurait dû servir et où avait été enrôlé son remplaçant.

Il avait fini par apprendre que ce corps avait participé le 16 août à la bataille de Gravelotte où, de mémoire de militaire, on n'avait jamais vu une telle dégelée d'obus : 1 200 morts, 4 420 disparus et 6 700 blessés du côté français avec des fosses communes remplies à ras bord de corps.

Où pouvait bien être Botquelen dans ce vaste monde dont il n'arrivait plus aucune nouvelle ? Était-il au moins encore vivant ? Il ne se passait pas un jour sans qu'il y songeât et voilà maintenant que le petit Perret lui aussi avait disparu.

Mon Dieu, mais comme il détestait la guerre !

"Silence de mort ! Depuis hier Paris est seul", titrait *Le Figaro*.

Le jeune homme feuilleta fébrilement le journal sans en apprendre plus sur le siège. On venait de se battre à Châtillon, mais la plupart des soldats avaient fui devant le déluge de feu. Se croyant poursuivis par les Prussiens, ils étaient revenus dans l'enceinte de la ville, semant partout la panique et l'inquiétude. Sinon toutes les routes et les voies ferrées étaient coupées, les banlieues vidées, l'intégralité des bêtes des alentours réquisitionnées. La ville pareille à une énorme forteresse avait monté ses ponts-levis et retenait son souffle en attendant l'assaut des barbares. À partir de maintenant elle allait cuire dans son jus.

Le magazine de sa tante, *La Mode illustrée*, était presque plus intéressant. Sa une présentait avec emphase le premier bataillon de la Garde nationale mobile féminine, *les Amazones de la Seine*, destiné à défendre les remparts. Un croquis détaillant le costume composé d'un pantalon noir à bande orange, d'une blouse et d'un képi noir à liseré de la même couleur occupait une double page. Les femmes de tous âges et de toutes conditions étaient sollicitées pour se présenter au recrutement au 36 de la rue Turbigo *afin de partager le mépris de la mort avec leurs camarades masculins et mériter ainsi leur émancipation et leur égalité civile.*

Bien que cette annonce, si typiquement parisienne, n'eût pas l'air sérieuse, il se dit que dans cette guerre chacun semblait avoir sa place ; chacun sauf lui.

Même la Commune, qui souffrait déjà de rivalités internes, n'en voulait pas. Les quarante-huitards, les Blanqui, les Delescluze, les Pyat, voyant là une opportunité de faire leur grand retour en politique, briguaient toutes les places et en bloquaient l'accès aux jeunes. Il y en avait bien quelques-uns comme Vallès ou Varlin qui avaient réussi à s'imposer, mais ils avaient tous au moins dix ans de plus qu'Auguste et ses camarades. "Dans trente ans vous aussi vous l'aurez votre révolution, regardez-nous et laissez-nous faire", leur avait-on dit un jour.

8

Les mois passant, ma curiosité pour les de Rigny ne faiblissait pas. Au contraire, c'était même devenu une activité récréative, comme on dit. J'avais suivi avec un certain intérêt l'enterrement de Philippe et de Pierre-Alexandre sur Internet et je consultais régulièrement les réseaux sociaux pour suivre les posts de la famille, lorsque j'ai appris quelques mois après *leur fin tragique* par l'Instagram d'Adrienne qu'elle exposait ses œuvres à la Foire internationale de la photo d'art au Grand Palais, j'ai évidemment décidé de m'y rendre dès l'ouverture pour avoir une chance de la voir en chair et en os.

Je n'étais jamais allée dans une manifestation de ce genre tout simplement parce que je n'en avais jamais ressenti le besoin ni la curiosité et parce que je me disais que je n'y serais pas à ma place. Comme prendre un café dans un hôtel de luxe ; même si le café est à 15 euros et que je suis en mesure de me le payer, ça ne me viendrait pas à l'esprit. Par peur qu'on me refoule à l'entrée parce que je ne suis pas habillée comme il faut... Par peur qu'on se moque de moi parce que je ne pige pas les codes de cet entre-soi... En un mot par peur de faire tache. Un peu comme dans ce passage de *L'Assommoir* où les invités à la noce de Gervaise décident, à cause du mauvais temps, d'aller visiter le Louvre. Le groupe de prolos arpente les salles du musée sur la pointe des pieds en parlant tout bas et tous les habitués du lieu les observent d'un air moqueur et condescendant comme s'il s'agissait d'une attraction de foire. Des gens avec des corps moches, abîmés par le travail et la mauvaise nourriture, offusquant les beaux endroits par leur seule déambulation. Des gilets jaunes du XIXᵉ siècle.

Tous mes a priori m'ont été confirmés dès l'entrée, par un tarif à 40 euros que nous avons été les seules, Hildegarde, Juliette et moi, à régler puisque les gens rentraient tous sur invitation.

En consultant dans les catalogues les prix des clichés exposés par ces galeries du monde entier, je me disais qu'on avait enfin trouvé avec la photo en tant qu'œuvre d'art, de par sa reproduction à autant d'exemplaires qu'on voulait, le moyen de fabriquer de la valeur à l'infini avec comme seul investissement le coût de l'encre et du papier. Une planche à billets sans banque centrale ni trésor. Bien mieux que des actions de sociétés qui impliquaient toujours en bout de chaîne des salariés gueulards. Le graal du rêve capitaliste. Le tout c'était de donner à la photo une cote et c'était ce que tous ces gens branchés, rayonnant comme autant de spots braqués sur nos défauts et nos fringues bon marché, étaient venus faire dans cette grand-messe.

"Pourquoi est-ce qu'on est venu voir des photos de pauvres, de vieux et d'endroits moches ?" a demandé Juliette.

Elle avait raison : 80 % des clichés exposés là avaient pour sujet la misère. Pas celle de chez nous ; pas de punks à chien dreadeux qui se biturent sur les places publiques ni de schizophrènes hallucinés qui ne tiennent debout que par la saleté de leurs fringues. Pas de migrants largués assis sur le rail central du périph, ni d'ouvriers aux visages fermés en train de regarder brûler des pneus. Aucune expérience conflictuelle chiante. Surtout pas. Non, du joli dénuement du tiers-monde. De la misère

147

exotique en mode *admirez donc cette patine sublime que la pauvreté pose sur les visages de ces pauvres gens.*

Les photographes contemporains qui choisissaient de tels sujets, j'étais sûre d'avoir leur numéro dans les répertoires que je commercialisais. C'est eux qu'on retrouve en train de sniffer ou de se shooter avec de la mauvaise came dans des endroits pourris histoire de se sentir bien réels et de se dire qu'eux aussi, ils vont très très mal.

Je me suis arrêtée devant un tirage gigantesque, genre 3 mètres sur 2, présenté sous un plexi découpé en forme de continent africain représentant une décharge de produits technologiques peuplée d'enfants en guenilles jetant leur colère à la face de l'objectif aveugle de l'appareil qui les fixait : 40 000 euros.

Mon Dieu, j'ai envie de tous les prendre dans mes bras, mais ils sont tellement nombreux...

"Tiens, v'là l'cours du pauvre qui r'monte !" me suis-je dit en pensant à mon arrière-grand-père Botquelen et ça m'a fait me marrer toute seule.

– Qui achète ça à ton avis ? ai-je demandé à Hildegarde.

– J'sais pas, une entreprise d'informatique ? Une banque ? Je m'en fous, c'est glauque, je n'accrocherais jamais ça chez moi. Oh regarde, là-bas, des chiens...

Et la voilà partie avec Juliette dans une rétrospective d'un certain William Wegman, un type qui avait l'air d'avoir fait toute sa carrière en photographiant deux clébards gris hauts sur pattes et en vendant ses clichés une blinde. L'artiste était présent sur son stand, le pauvre : *Could you guarantee that there are no animal abuse and exploitation in your pictures ?*

"Mais qu'est-ce qu'elle va le faire chier, la Hildegarde !" ai-je pensé. J'en jubilais d'avance.

J'ai profité d'être seule pour me rendre sur le stand d'Adrienne de Rigny à deux pas de là.

Ce qui y était exposé n'était pas vraiment des photos. Faire un choix de réglage, appuyer sur un bouton, c'était beaucoup trop ringard pour elle : *la vérité photographique n'est plus dans la prise de vue, mais dans son appropriation*, y avait-il écrit à l'entrée du stand au cas où quelqu'un (moi, puisqu'il n'y avait personne d'autre) se serait demandé pourquoi l'artiste exposait des photos glanées sur *YouTube*. Sauf qu'il ne s'agissait pas là de n'importe quelles captations ; c'était les images du lynchage de son oncle et de son cousin, reproduites sur un support de type panneaux de signalisation en métal, criblés d'impacts de balles. Je me suis discrètement approchée du catalogue pour regarder le prix, et une galeriste encore plus discrète est apparue d'on ne sait où pour me chuchoter à l'oreille que le travail d'Adrienne avait été acheté par la fondation Pinault.

"Sûrement un ami de la famille", me suis-je dit, parce que sinon... Comprends pas ! 15 000 euros.

J'ai pris mon temps et fait semblant d'examiner chaque photo en détail afin d'observer ma cousine à la dérobée. Perchée sur des talons de vingt centimètres avec une coupe de cheveux ratée avec un soin extrême, elle avait l'air maladif et cagneux de la quadragénaire à l'haleine de fond d'estomac qui s'affame. Avec une cigarette électronique à la bouche d'où sortait une épaisse vapeur parfumée à la fraise Tagada, elle balayait l'espace d'un regard d'ennui signifiant *mais qu'est-ce que je m'emmerde*, et ce regard est passé sur moi comme si j'étais une table, une chaise, ou, mieux, une poubelle.

Lorsque Hildegarde et Juliette en ont eu fini de torturer le photographe de chiens sur son stand, elles sont venues me chercher sur celui de ma cousine.

— T'as vu, tata, la dame, elle s'appelle comme nous !

— Ah oui c'est vrai ! confirma Hildegarde. Viens ici, toi, c'est pas des images pour une petite fille.

Comme une duchesse toiserait un cancrelat, Adrienne a grimacé de dégoût en regardant ma Juliette puis a donné un coup de rein pour se décoller du mur en annonçant à sa galeriste d'un ton éreinté qu'elle allait faire un tour.

On a continué un peu à regarder des photos de pauvres, puis je me suis rendue aux toilettes avant de partir : une immense pièce nichée au fond du Grand Palais, très haute de plafond et donc propice à l'écho, avec la femme noire de rigueur, tapie dans un coin, flanquée de son chariot de nettoyage.

Alors que j'étais en train de faire pipi, j'ai entendu venant du bout de la pièce un énorme bruit gazeux suivi d'une cataracte de chiasse éclaboussant la cuvette.

— Ouais... C'est moi, ouais... Non, pas un chat... À part deux gouines gogoles et leur môme débile... Faut que ça tombe sur moi, ouais... L'angoisse... Non, vraiment personne !

Bruit de porte. Bruit de robinet. Pas de bruit de chasse.

— Ouais... Je t'avais dit que l'attaché de presse était un naze... Mais ouais, je te l'avais dit...

Mais où enseigne-t-on cette morgue qui signifie au monde entier que vous lui êtes supérieur ? Est-ce génétique ou la pratique-t-on en LV2 dans une de ces écoles privées pour gens friqués ? Lorsqu'il m'arrive de les entendre parler de la sorte, je ne peux chasser de ma tête cette réplique de de Funès à Montand dans *La Folie des Grandeurs* : *"Ne vous excusez pas, ce sont les pauvres qui s'excusent. Quand on est riche, on est désagréable !"*

Les effluves de vapotage Tagada envenimés par les odeurs de diarrhée d'Adrienne de Rigny sont venus jusqu'à moi et m'ont prise à la gorge.

J'ai remonté mon collant et je me suis dirigée vers la cabine de toilette d'où je l'avais entendue sortir ; elle n'avait effectivement pas tiré la chasse d'eau et la cuvette était constellée de merde jusqu'au bord de l'abattant.

Comme un automate, la femme noire s'est alors mise en branle avec son petit chariot vers les remugles pour faire son travail.

— Bon, on y va ? m'a demandé Hildegarde une fois que j'étais sortie.

— Je suis fatiguée, j'ai envie de me poser un peu et de regarder les gens.

Au moment où j'ai dit ça, un couple arborant lunettes de glacier et manteaux en fausse fourrure d'animaux d'une autre planète est passé devant nous.

— Bon OK, je te laisse alors. Juliette, tu veux rester avec maman à compter les fous ou tu veux aller au cinéma ?

Juliette s'est mise à bondir de joie et elles sont parties. Je les ai regardées un temps s'éloigner avec une tendresse infinie ; ma gamine haute comme trois pommes avec sa tata Hildi au corps spaghetti de 1 mètre 93 en survêt, puis mon visage a tourné en une moue homicide et j'ai clopiné vers le stand d'Adrienne les mains agrippées de rage à mes béquilles. Là, je me suis plantée devant un des panneaux où l'on voyait clairement le regard affolé de Philippe de Rigny face à son *instant justice* et ça m'a un peu calmée. Les émeutiers n'avaient pas encore commencé à le frapper, mais il savait que cette fois, il ne s'en sortirait pas. Ses yeux élargis par la terreur faisaient écho à la colère de tous ces gens qui allaient s'acharner sur lui, mais aussi à celle de tous les sujets enfermés dans les images exposées au Grand Palais.

— Vous aimez ? m'a fait la boutiquière d'art.
— Oui, beaucoup, c'est pour ça que je suis revenue. Cette photo me hante. Je voudrais acheter celle-là précisément, mais ma carte bleue n'a pas un plafond qui me le permette. Il faudra que je passe à votre galerie, mais j'aimerais qu'on me la réserve. Comment pouvons-nous procéder ?
— Eh bien vous pouvez me verser un acompte. À combien est plafonnée votre carte ?
— Cinq cents euros.
— Effectivement.
— Je peux vous la payer en espèces ou en chèque, mais il faudra que je revienne demain. S'il vous plaît, est-ce que vous pouvez me la mettre de côté ?

J'avais dit ça sur un ton de supplique, les yeux écarquillés, à la limite du ravissement stendhalien.

— Je vais demander à l'artiste.

Et la galeriste est allée chuchoter ma requête à l'oreille de ma cousine. Elle a dû rajouter un truc du genre *fais un effort, s'il te plaît, va lui parler, elle aime vraiment beaucoup ce que tu fais et c'est peut-être la seule qui t'achètera un truc*, parce que Adrienne est venue vers moi avec un air de *ça me les brise, mais bon, serrons les dents*.

— Alors ce cliché vous emballe, paraît-il ?
— Oui, énormément.

152

— Pas de problème, on peut vous le mettre de côté jusqu'à demain.

— Vous avez su capter le moment précis où le lait s'apprête à bouillir et sortir de la marmite. Je trouve ça extrêmement prophétique.

— La marmite. Oui. Et les coups de feu dans le support, vous aimez ?

— C'est formidable ! J'ai un groupe Facebook très suivi qui parle de photos. J'aimerais beaucoup présenter vos œuvres à mes followers et, si je pouvais, j'adorerais y rajouter une petite interview par téléphone. Seriez-vous d'accord ?

Je sens au déplacement d'air derrière mon dos que la galeriste fait de grands gestes pour pousser mon interlocutrice à accepter. Les chiffres du numéro de téléphone d'Adrienne sortent de sa bouche à contrecœur, mais ils sortent.

Ce qui s'est passé ensuite se résumera en quelques phrases.

Je suis rentrée chez moi, j'ai comparé son numéro avec ceux des consommateurs de drogue stockés dans mon Cloud et je me suis aperçue qu'il était présent dans une douzaine de répertoires pour de la cocaïne et quatre pour de la MDMA. Adrienne était une consommatrice régulière qui achetait de bonnes quantités et cela depuis des années et à plein de dealers différents.

J'avais également dans ma banque de données une courte colonne composée de numéros d'amateurs de crack exigeant qu'on ne leur livre que de la cocaïne pure afin de la baser eux-mêmes avec du bicarbonate et de l'ammoniaque. J'ai rajouté à ces quelques numéros celui d'Adrienne et je suis allée voir mes voisins avec ma liste : "C'est des gens avec une exigence spéciale ; si vous entendez parler d'une livraison de cocaïne non coupée, ils sont preneurs pour faire leur cuisine." Mohamed m'a filé gracieusement un pourboire de 300 euros contre cette nouvelle liste. J'ai gueulé pour la forme : "Franchement, t'exagères, la pure vaut trois fois plus !" Il me l'a faite à 500 en soupirant.

La liste a dû faire son chemin… Une offre du style : *Vend CC KliT XX, KtiT limiT, prendre commande rapiD* ++ a dû à un moment arriver par SMS sur le portable d'Adrienne… Parce que ses artères de conne se sont rétrécies d'un coup sec et qu'elle est morte d'une crise cardiaque.

RIP Adrienne ont écrit ses amis comme commentaire à son dernier selfie Instagram.

Avec un émoticône triste.

En raison du rationnement du gaz, les Grands Boulevards, si bien éclairés d'habitude, se retrouvaient comme rétrécis par la pénombre jusqu'à prendre des airs de venelles médiévales.

Auguste tenait sa tante Clothilde par le bras afin qu'elle ne chute pas sur les plaques de glace. Tous deux se dirigeaient vers le club Favié, rue de Belleville.

— Qu'est-ce qui m'a pris d'accepter de vous suivre dans un endroit pareil ?

— Ça vous sort de la maison où il gèle et où vous vous ennuyez à mort. Et puis vous venez admirer votre neveu qui va enfin s'exprimer publiquement... Bon, on m'a demandé de tenir la place parce que les clubs se vident de leurs orateurs à cause du froid ; mais c'est un début.

— Vous n'en avez pas assez avec vos idioties ? Vous savez à quoi ils me font penser, vos communards ? À un genre de bêtes réfractaires à la civilisation qui attendraient le moment propice pour venir défoncer ma porte, voler mon argenterie, pisser dans mes draps et brûler mon immeuble. Ces gens sont envieux, ils m'épouvantent.

Auguste souffla.

— La Commune c'est tout de même un peu plus que ça, non ? Égalité civique des hommes et des femmes, égalité des droits entre enfants légitimes et naturels, école laïque, obligatoire et gratuite pour tous y compris les petites filles, mise en place de crèches pour que les femmes puissent aller travailler... Enfin ma tante, vous qui vous proclamez féministe, cela devrait vous parler, non ?

— Contrairement à ce que vous croyez, je ne suis pas accrochée au passé comme votre père. Mais vous êtes jeune et vous pensez avoir tout inventé, or la Commune est une vieille idée de 1848 et ses acteurs sont toujours là. L'impôt progressif sur les rentes et les successions, personne ne l'a oublié ! Il ne manquerait plus qu'on impose le bénéfice de nos nouvelles sociétés anonymes et le tableau sera complet.

— L'école, il faut bien la financer avec quelque chose, non ?

— Sûrement, mais pas avec mon argent ! Déjà que j'arrive à peine à m'en sortir.

— L'argent doit circuler dans les veines du corps social. Là, vous faites le caillot, ma tante !

Aller plus avant dans la discussion conduirait à la dispute, ils le savaient. Mais ce soir-là, avec le manque de sommeil, la température qui était descendue à moins douze et les privations de nourriture, ils n'en avaient plus ni l'un ni l'autre le courage, alors ils se turent.

Arrivés au bout du boulevard Saint-Martin, ils débouchèrent sur l'immense place du Château-d'Eau où se mourait un bec de gaz solitaire qui faisait comme un trou de lumière au milieu des ténèbres. On avait peine à croire qu'il y avait de cela quatre mois, cette même place était sillonnée d'attelages remplis de gens pressés d'aller s'amuser. Ils s'y arrêtèrent dans un silence respectueux, comme on le ferait au chevet d'un mourant : ce que les Prussiens avaient fait de leur ville chérie les mettait profondément en colère.

— Où en est votre souscription pour les canons ? fit Auguste en contemplant le vide infiniment noir.

156

– Eh bien ça n'est pas ceux que l'on croit qui participent. Pour vous dire : l'autre jour nous sommes allés quêter dans le VIIᵉ. Une dame très riche venait de nous éconduire alors que son domestique m'a arrêtée dans l'escalier pour me demander si les pauvres aussi pouvaient donner. Il est allé me chercher 2 francs. Les femmes qui font la queue aux fourneaux où on distribue la soupe, qui attendent parfois cinq heures dans le froid, nous courent après pour nous passer seulement quelques sous.

– Et ça vous étonne ?!

– Je ne comprends pas comment on peut ne pas être patriote dans un moment pareil alors que, dans l'Est, les forts résistent et que l'on se bat toujours.

La salle des Folies-Belleville où se tenait le club Favié était plongée dans une semi-obscurité et il n'y avait pas de chauffage. La fumée bleuâtre des pipes ajoutée à la buée occultait l'estrade. Un public très bigarré : beaucoup d'uniformes de gardes nationaux et de mobiles, mais aussi de nombreuses femmes du peuple avec leurs enfants endormis dans les bras ainsi que quelques bourgeoises bien mises ; tous étaient là pour profiter de la chaleur humaine démultipliée et se distraire un peu en écoutant les intervenants.

Lorsque Auguste et sa tante y pénétrèrent, on en était aux questions des subsistances. L'orateur sur l'estrade parlait de la condamnation à mort des animaux parasites, en particulier des chevaux de corbillard que leurs propriétaires nourrissaient avec du pain ainsi que des animaux de compagnie.

– Les riches n'ont qu'à porter leurs morts, criait une femme.

– Oui, oui, renchérit une partie du public.

157

– Je ne veux pas qu'on mange mon chien. Je partage avec lui ma ration et c'est mon problème, renchérissait une bourgeoise avec un carlin sur les genoux.

Rires.

– Bon, on attendra encore un peu avant de l'immoler, votre boudin blanc, mais serrez-le bien, parce qu'il nous fait tous envie.

Rires.

– Point suivant : les vols de bois sur les chantiers et l'abattage des arbres d'ornement.

– On a froid ! criait-on dans la salle.

– Ce qu'on fait aujourd'hui avec le bois, on aurait dû le faire depuis longtemps avec les vitrines des épiciers et des bouchers des quartiers riches. Qu'on vide au moins les meubles des hôtels particuliers dont les propriétaires sont partis, proposait un monsieur. Ça nous fera quelque chose à brûler.

Auguste bondit sur l'estrade et vola la parole à l'orateur sans quitter son auditoire des yeux :

– Non, non, non, l'envie ne sert qu'à consolider les forces de l'adversaire en lui prouvant qu'il a raison dans son choix de société ! Les journaux nous annoncent qu'il nous reste une vingtaine de jours de vivres. Il nous en faut dix d'avance pour nous ravitailler si nous voulons sortir en masse pour attaquer les Prussiens. Si nous n'avons pas la Commune d'ici quelques jours, si nous ne poussons pas dehors ce gouvernement de traîtres qui ne cherche qu'à négocier une capitulation depuis le début de la guerre, toutes les privations que nous avons subies n'auront servi à rien.

Un garde national se leva en brandissant une carte :

– Regardez ce que j'ai trouvé ! Consommé d'éléphant, rognon d'antilope aux truffes, chameau rôti à l'anglaise, civet de kangourou... C'est le menu de Brébant pour le réveillon. C'est pour ça qu'on a fermé le Jardin des Plantes ! Parce qu'on a vendu à prix d'or aux restaurateurs du Palais-Royal les animaux exotiques pour que les gens riches s'en goinfrent alors que nous, au même moment, on bouffait du tire-fiacre.

Hurlements. Plus personne ne prêtait attention à Auguste.

– J'en ai marre de cuisiner du rat, cria une femme.

– Faites du chat ; c'est pas mal, fit une autre.

– Non, du civet de kangourou, fit une troisième.

Rires.

Le jeune homme ne lâcha pas l'affaire et reprit sur un ton qu'il voulut exhortatoire :

– Citoyennes, citoyens de la Commune... C'est aujourd'hui le centième jour du siège. Si vous ne vous saisissez pas de la dernière chance qui nous reste pour dégager ce gouvernement, quand la guerre sera finie, nous serons repartis pour des dizaines d'années d'obscurantisme...

Mais le brouhaha engloutit ses paroles.

– Dans un immeuble de la montagne Sainte-Geneviève qui s'est pris un obus, on a trouvé 1 500 jambons...

– Ils sont où, les jambons ?

– Perquisitionnons les caves !

Des bruits d'explosions mirent fin d'un coup aux interpellations et en un seul mouvement tous les participants du club se ruèrent dehors pour scruter l'horizon afin de savoir d'où provenaient les tirs de canon.

À l'est, le ciel était strié de lumières et de petits points de feux.

– Avec le brouillard, ça fait comme une aurore boréale, fit la bourgeoise au carlin.

— Ça y est, ils nous bombardent, ces salauds, fit un garde mobile.

Puis les participants au club Favié s'en retournèrent chez eux par petits groupes, disparaissant tour à tour dans la gueule sombre des rues sans lumière.

Auguste, lui, restait figé sur place tout en contemplant ses pieds :

— La pensée politique des gens ne se cantonne plus qu'au contenu de leur assiette. Personne ne m'a écouté !

— Moi aussi j'ai faim. Rentrons ! répliqua Clothilde.

9

Mon micro-appartement étant situé juste à côté du boulevard de Sébastopol, j'étais aux premières loges des manifs qui s'y enquillaient semaine après semaine. Les participants avaient beau être toujours différents – jeunes pour le climat, personnels hospitaliers, profs, retraités, sans-papiers, étudiants… –, je n'y voyais que l'expression du même sentiment de désarroi face à la fin du monde. Ça ne se passera pas comme à Hollywood, genre Arche de Noé avec la mer qui submergera tout, un lundi matin. Non. On y était déjà et c'était comme ça que ça se jouait ; par un effondrement graduel de la société avec les besoins de base : logement, nourriture, mobilité, chauffage, éducation, santé qui devenaient inaccessibles à de plus en plus de gens. D'abord le chaos social, ensuite un régime autoritaire que la population appellerait de ses vœux pour maintenir l'ordre. Et puis, qui sait, la guerre.

Il suffisait d'avoir lu Balzac, Zola ou Maupassant pour ressentir dans sa chair que ce début de XXIᵉ siècle prenait des airs de XIXᵉ. Il y avait bien sûr la disparition progressive des services publics, mais pas seulement. Après un XXᵉ siècle qui avait connu deux conflits mondiaux et glorifié l'aventure entrepreneuriale et les diplômes, la part des revenus du travail dans les ressources dont une personne disposait au cours de sa vie s'était mise à reculer pour arriver exactement au même niveau qu'à l'époque de mon ancêtre Auguste. On se surprenait à nouveau à attendre le décès de papa-maman pour s'acheter un logement ou payer les études et l'installation de ses enfants. Et cette tendance n'irait qu'en s'accentuant avec la fin (irrémédiable dans un monde épuisé) de la croissance telle que nous la connaissons depuis la révolution indus-trielle. En d'autres termes : celui qui ne possédait que son travail sans aucune espérance d'héritage se demandait comment diable il pourrait faire fortune alors qu'une part chaque année plus importante de ce qu'il gagnait était engloutie dans ses dépenses courantes et que le peu qu'il arrivait à mettre de côté rapportait à peine de quoi couvrir l'inflation. La lecture du *Père Goriot* avec ses impayables conseils de Vautrin à Rastignac pour gravir l'échelle sociale devenait ultra branchée et la vision méri-tocratique du monde, complètement ringarde.

Alors que j'étais pressée de traverser le boulevard pour me rendre au Palais de Justice où se tenait le procès d'Hildegarde, le cortège du jour était particulièrement interminable. On aurait dit qu'ils s'étaient tous donné le mot pour m'emmerder dans une convergence des luttes autour d'une idée centrale qui ressemblait peu ou prou à *nous aussi on veut du pouvoir-acheter*. Le moins qu'on puisse dire c'était que cette revendication était aux anti-podes d'une proposition antagonique à la société contre laquelle tous ces gens gueulaient ; leur mécontentement, leur frustration étant leur seule parole. Je trouvais leur contestation tellement vaine alors que tout près de là, ce même jour, il se passait quelque chose de vraiment grave qui aurait mérité pour le coup qu'ils se rassemblent tous devant les grilles du Palais et qu'ils y pénètrent pour tout casser. La plus gentille, la plus inoffensive des femmes de la terre, Hildegarde, s'apprêtait à y être jugée par la cour d'appel pour s'être introduite dans un abattoir et y avoir posé des caméras afin de filmer les conditions atroces de mise à mort des animaux, et ça pour la seconde fois.

Le président après avoir lu la prévention a rappelé à mon amie qu'elle était défavorablement connue par la DGSI pour son appartenance au milieu végan. J'ai donc d'abord appris qu'il y avait *un milieu végan* suffisamment menaçant pour qu'on paye des flics à surveiller ma copine et à mettre régulièrement sa petite fiche à jour. Ensuite, que le fait d'empêcher par l'opprobre que des animaux soient dépecés vivants dans une souffrance indescriptible pour remplir des barquettes de viande destinées pour la plupart à être jetées et remplir les caisses d'une industrie constituant une des causes principales du réchauffement climatique était perçu comme une menace à l'ordre public...

Cette image d'Hildegarde, les mains jointes derrière son interminable dos, debout devant ces trois magistrats, la tête baissée pour prendre sa raclée, s'est rangée dans mon esprit aux côtés de celle de la gamine fourrée dans le kangourou dorsal de son connard de père, de la passagère carbonisée le jour de mon accident, du premier pull que ma fille a tricoté et qu'elle s'est obstinée à porter ou des handicapés sans mains rigolant devant leurs crevettes à décortiquer. Une collection d'images mentales rares qui m'ont façonnée et ont fait de ma vie un peu plus qu'une succession de clichés Instagram.

De quatre mois de sursis en première instance, elle est passée à huit mois ferme en appel et, en raison de l'inscription de sa condamnation sur son casier judiciaire, elle perdait son accréditation pour travailler pour le ministère de la Justice. Pour la punir on lui retirait son gagne-pain. On l'oblitérait.

C'est à la sortie de cette audience (et pas avant, contrairement à ce qu'on pourrait croire), avec cette image douloureuse gravée à jamais dans ma tête, que je me suis mise à penser à l'argent des de Rigny et à ce que nous pourrions en faire de bien.

Déjà, si j'héritais de cette fortune, je me disais que pas un seul centime n'irait dans les caisses d'un État aussi obtus, dont les gouvernants, quels qu'ils soient, privilégieraient toujours la satisfaction immédiate des masses pour être réélus et jamais ne proposeraient un autre modèle de société.

Pour être anarchiste, ça n'était franchement pas dur. À supposer qu'il m'en fallût encore une couche, il me suffisait de me figurer l'État français avec la tronche du représentant du Syndicat des métiers de la viande ou celui de la FNSEA qui s'étaient tous deux constitués partie civile contre mon Hildegarde et ça venait tout seul. Et puisque le patrimoine faisait son grand retour dans le destin des hommes, je me disais qu'après tout, il fallait vivre avec son temps.

Saint-Germain-en-Laye, Paris, Versailles, 1er janvier 1871

À Saint-Germain-en-Laye, ville prussienne de 57 000 habitants dont 17 000 Français, le calme régnait. Une fois passée la brutalité des premiers jours, des relations cordiales s'étaient installées entre les Saint-Germinois et leurs occupants. Alors que les autres familles avaient leur maison bourrée de soldats, les de Rigny n'avaient hérité que du colonel von Gibintz et de son aide de camp qu'ils avaient installés dans la chambre d'Auguste et dans la cabane de jardin.

Wilhelm von Gibintz n'avait que des qualités : il jouait du piano, récitait du Victor Hugo avec un charmant accent germanique, s'excusait chaque fois qu'il le pouvait d'occuper la France, pleurait sa patrie où il avait envie de rentrer et où l'attendait sa chère Gerda, grommelait à propos de l'entêtement des Parisiens qui l'en empêchait et accompagnait Jules dans ses virées dans les nombreux bordels qui avaient poussé comme des champignons dans ce qui était à présent ni plus ni moins qu'une ville de garnison.

Ce premier soir de l'année, alors que les femmes s'étaient précipitées dans leur chambre après dîner pour se plonger dans un de ces horribles romans impudiques qu'elles affectionnaient tant, que son beau-fils Jules et von Gibintz étaient partis bambocher et que Ferdinand s'occupait de ses affaires, Casimir regardait brûler le feu et songeait au temps qui passe.

Il avait connu l'Empire, la Restauration, la Monarchie de Juillet, la IIe République, encore un autre Empire et

165

une autre République, et maintenant ça... Mais pour la première fois, il avait le sentiment que quoi qu'il advienne, tout ce qu'il avait aimé dans sa vie était irrémédiablement perdu. Lorsque la guerre serait finie, le monde allait entrer dans une ère définitivement républicaine où personne ne respecterait plus la hiérarchie sociale que le Seigneur avait établie dans sa sagesse. Une ère où l'incertitude, la chicane et le mauvais goût règneraient en maître. Il se disait en soupirant qu'un monde pareil n'était vraiment pas fait pour un vieil homme tranquille comme lui.

Il soupira : lui aussi était fatigué d'être français.

Il se saisit machinalement de l'*Allgemeine Zeitung*, le journal que von Gibintz avait oublié sur le guéridon près de son fauteuil. Ce dernier affichait à sa une en gros caractères gothiques : *Was essen Sie denn ?**, mais comme Casimir ne comprenait pas l'allemand, il le reposa.

— Les Prussiens doivent vraiment se demander ce que nous trouvons à manger... Alors, Rosalie, qu'avons-nous ce soir ?

— Une gibelotte !

— Ah, très bien ! Une gibelotte de quoi ?

— C'est ça qu'il y a de bien avec la gibelotte, c'est que le vin blanc cache le goût de tout. On m'a garanti que c'était de la cervelle de chien, mais je crois que je me suis fait avoir.

— Et ces petites rondelles grises ?

— Ah ça, ça vient d'un lot de boîtes qu'un camelot vendait tantôt sur le trottoir de la rue de Rivoli... Il déballait au moment où je suis passée. J'ai réussi à en

_____

* Mais que mangent-ils donc ?

attraper quatre. Ça se tartine pas trop mal, mais vous verrez, aujourd'hui le pain a un goût de sciure.

Auguste tira une sorte de fil de sa bouche qui ressemblait très fort à une queue de souris. Il fit la grimace, mais ne dit rien.

— De toute façon on est insatisfait quoi qu'on mange. Merci, Rosalie. Tenez, pour vos étrennes…

Et elle sortit de son sac un petit paquet improvisé, confectionné avec un mouchoir noué.

La bonne défit le tissu pour découvrir une grosse boîte de conserve de bœuf.

— Oh, madame !

Clothilde, qui dînait en manteau à cause du froid, masqua son visage avec les deux pans de son col pour dissimuler une folle envie de pleurer :

— Je ne peux pas me permettre de vous donner de l'argent car, au train où vont les choses, je ne sais pas combien de temps encore j'aurai à nous faire tenir tous les trois. Si nous ne sommes pas tous morts, l'année prochaine, je me rattraperai. Et sinon, là-haut, vous vous en sortez ?

— Oui, madame, nous dormons toutes dans la chambre qui a la cheminée et un ami nous a ramené du bois arraché aux bancs publics pour chauffer la pièce.

— À propos, vous avez entendu hier soir, ces cris abominables ?

— C'est les Blin qui ont saigné leur cochon. J'attends toujours mon pied… M'est avis que je vais l'attendre longtemps !

Des bruits de canonnades leur firent dresser l'oreille.

— Ne vous inquiétez pas : ils ne viseront jamais les Grands Boulevards. Sinon, où iraient-ils s'amuser lorsqu'ils nous envahiront ! Et Clothilde de parcourir la pièce du regard : Auguste, ce guéridon là-bas, il me rappelle trop le raseur qui me l'a offert. Brûlez-le, s'il vous plaît, que nous commencions l'année un peu mieux que nous n'avons terminé la précédente.

Ferdinand, lui, ne vivait pas du tout dans le même calendrier que les autres membres de sa famille.

Il y avait eu un avant et un après l'arrivée des Prussiens et il y aurait un avant et un après leur départ. En *temps prussien*, donc, il n'avait pas une minute à perdre et courait d'un chantier à l'autre.

Il avait fait sien le syllogisme suivant : Saint-Germain-en-Laye et Versailles étant deux villes prussiennes à l'administration prussienne chapeautée par un préfet prussien, les pouvoirs publics étaient donc prussiens. Les établissements de Rigny ayant toujours travaillé pour les pouvoirs publics, la société travaillerait donc pour les Prussiens. Et l'homme d'affaires qu'il était ne voyait dans ce raisonnement que des avantages car ce qui était appréciable avec les forces d'occupation, c'était qu'on pouvait travailler en surfacturant tout, et cela en toute impunité puisque c'étaient les occupés qui payaient la note.

Cette collaboration avec les autorités prussiennes consistait dans la remise en état des ponts et des voies ferrées menant leurs troupes vers Paris ainsi que celle des forts pour qu'ils tirent à leur aise sur les Parisiens, mais là n'était pas le sujet parce que les affaires marchaient si bien qu'il avait déjà procédé en à peine quatre mois à une augmentation de capital qu'il espérait être la première d'une longue liste dans la vie de sa merveilleuse société anonyme.

Guerre et travaux publics ; quel beau mariage !

Thiers étant à Versailles pour négocier l'armistice, Ferdinand s'y était donc installé afin d'être aux premières loges pour voir se dessiner son avenir. Ce que la guerre détruit, toujours est reconstruit, telle était la règle. Avec un peu de chance il y aurait une revanche, et une autre guerre, et puis une autre : c'était sans fin ! À l'occasion du dîner de la Saint-Sylvestre où l'homme d'État était assis juste en face de lui, il avait saisi des bribes de conversation allant dans ce sens : *les provinces, on les reprend un jour. L'argent, lui, on ne le recouvre jamais*, avait-il répondu à son interlocuteur alors que ce dernier s'émouvait de la perte probable de l'Alsace et de la Lorraine.

"Voilà une année formidable qui commence !" songea Ferdinand. Il sentait physiquement sa fortune se faire à partir de toute cette boue et c'était délicieux.

10

Mes recherches sur la famille étaient plantées dans le
sable parce que j'ignorais comment Auguste avait terminé ; quant à ma collecte de documents sur les neufs
mois qui séparaient la vente de mon arrière-grand-père
d'avec la naissance de son fils, elle devait s'accommoder
d'un effet de source, les textes disponibles n'émanant
évidemment que de gens éduqués livrant une vision du
monde correspondant à leur vécu bourgeois, les autres
ne sachant pour la plupart ni lire ni écrire.

Il y avait bien sûr Jules de Goncourt avec son génial
Journal. C'était drôle, brillant, mais horriblement dédai-
gneux à l'encontre de la *populace*, comme il nommait
la moitié de Paris. Les autres écrivains : les Maxime du
Camp, Dumas fils, Catulle Mendès, Leconte de Lisle,
Henry Bauër, et même Zola avec sa *Débâcle* ainsi que les
observateurs lettrés, ancêtres des blogueurs, décrivant le
siège en arpentant la ville : les Edmond Bossaut, Gustave
de Molinari ou Juliette Adam… Tous laissaient sourdre
dans leurs écrits, parfois malgré eux, la nature civilisa-
trice de leur train de vie. Si leur esprit avait dû s'en-
combrer de préoccupations aussi peu excitantes que leur
subsistance, s'ils n'avaient pas eu de domestiques pour
prendre en charge leur linge, leur ménage, leurs repas
et leurs chevaux, il leur aurait été impossible de créer
de belles œuvres, d'avoir de hautes pensées ou simplement, comme ces quelques jeunes bourgeois égarés dans
l'aventure communaliste, de nourrir de leurs belles idées
le bordel révolutionnaire. Il leur paraissait parfaitement
naturel d'appartenir à une minorité qui réfléchissait au

nom de tous les autres et il n'y en avait pas un seul pour imaginer qu'il pût en être autrement.

Le seul texte sortant du lot que j'avais trouvé était le journal d'une sombre infirmière, Victorine B., publié dans une encore plus sombre édition anarchiste suisse : *Souvenirs d'une morte vivante*. On n'y trouvait ni le style, ni l'humour des écrivains établis, et pas non plus le ton purement informatif de Louise Michel. Il avait été écrit par une femme simple qui ne cherchait pas à épater, mais à raconter le siège tel qu'elle l'avait vécu dans son cœur.

En réponse à Jules de Goncourt lorsqu'il relatait dans son *Journal* sa quête exténuante de boîtes de conserve de *boiled mutton* et *boiled beef* à travers Paris, elle écrivait :

Le Paris riche réduit aux conserves alimentaires, quelle ironie… Quelle chose affreuse. Le Paris pauvre ne s'extasiait pas devant les boutiques, il n'en avait ni le temps ni les moyens. Pendant que vous, Messieurs, vous devisiez chez Brebant, lui, Jacques Bonhomme, allait aux remparts, souvent l'estomac creux… Et si par malheur il avait bu un verre de vin frelaté, qu'ayant froid et faim, il fût un peu plus gai que de coutume, on le traitait d'ivrogne.

Ce petit paragraphe me bouleversait et m'effrayait à la fois car il contenait à lui seul la preuve que rien n'avait changé d'un iota en cent cinquante ans. Les groupes sociaux continuaient à se mépriser alors que le plus grand défi de l'histoire de l'humanité se trouvait là, devant nous, à savoir qu'une partie des richesses produites dans le monde ne serviraient plus au bien-être des gens, mais à corriger les dégâts de leurs activités sur l'environnement pour éviter que les choses n'empirent.

Lorsque je m'en ouvrais à Hildegarde, elle me répondait très sereinement que les êtres humains, peu importait leur rang, coopéraient depuis 3 millions d'années lorsqu'ils étaient en période de stress et qu'au contraire ça se passerait très bien. Il suffisait d'observer leur comportement pendant les grandes catastrophes : il en sortait toujours de l'auto-organisation, du calme, de l'entraide et de l'altruisme, peu importait le milieu social dont ils étaient issus. Ouais, bon, c'est vrai, mais pour arriver à ça, il fallait que ça aille vraiment très très mal.

Qu'est-ce que je l'aimais, Hildegarde.

Hildegarde et son bracelet électronique à la cheville.

Comme un malheur n'arrive jamais seul, Mamie Soize m'a appelée un soir : mon père n'était pas rentré de sa sortie en mer. En raccrochant je me suis dit : "Eh bien ça y est, nous y sommes !"

C'est souvent comme ça qu'ils finissent, les vieux marins de l'île. Un matin, malgré la houle, ils partent pêcher et, comme ils sont rigidifiés par l'arthrose, ils basculent d'un bloc par-dessus bord en remontant leurs casiers. Ils n'ont plus la force de s'extirper de l'eau pour atteindre l'échelle de leur bateau, ils s'épuisent et meurent d'hypothermie. Nous savons tous qu'ils le font exprès, même si nous n'en parlons jamais entre nous. À force de sortir dans n'importe quelle mer sans téléphone, sans VFI, avec des embarcations branlantes, ils savent qu'ils finiront un jour comme ça, mais ils s'en fichent : tout, plutôt que mourir à terre dans un lit d'hôpital.

Je l'ai annoncé à Juliette : "Papy a disparu en mer et je crois qu'on ne le retrouvera pas." Elle m'a demandé si j'étais triste, je lui ai répondu que non.

— Tu vois, les oiseaux, à un moment ils sont vieux et ils meurent. Du coup on devrait en trouver plein par terre ou au moins en prendre un sur la tête de temps à autre, mais non, ça n'arrive jamais. Ils sont passés où, à ton avis, tous les vieux oiseaux du ciel ?

Elle m'a regardée.

– Je sais pas.

– Personne ne sait ! C'est un mystère de la nature. C'est pareil pour les vieux marins comme papy. Un jour la mer les engloutit comme le ciel engloutit les oiseaux.

– Maman, c'est pas la peine de m'inventer des histoires débiles. Je suis pas triste. Papy, il en a jamais rien eu à foutre de moi.

– On ne dit pas *foutre*, fut la seule chose que j'ai été capable de lui répondre tellement la justesse de sa remarque m'a estomaquée.

Je suis partie à nouveau sur l'île, histoire de me montrer, parce que franchement ma présence là-bas n'avait aucune utilité. L'hélicoptère de la Sécurité civile l'a cherché quelques jours, puis nous avons attendu que la mer le rejette ; en vain.

Pas de célébration à l'église car il ne croyait pas en Dieu. Seulement un faire-part dans *Ouest-France* et dans *Le Télégramme*, et le plus important : une tournée au Kastel à rester passivement assise à écouter ses copains dégoiser sur *à quel point c'était un type formidable*. Les gendarmes m'ont donné des tonnes de papiers à remplir pour une procédure judiciaire de reconnaissance de décès réservée aux cas où il n'y avait pas de corps, mais j'ai tout abandonné sur le coin d'une table. C'est la seule chose que j'ai trouvée à faire pour saluer sa mémoire : ne m'occuper de rien d'administratif en me disant que ça allait se faire tout seul, ce qui a été le cas.

J'ai tout de même attendu pendant une longue semaine qu'un bateau me le ramène. J'ai interrogé l'horizon à partir de la jetée du port, à l'emplacement exact où les femmes de l'île l'ont fait pendant des siècles à propos d'un fils, d'un mari, d'un frère ou d'un père qui ne rentrait pas. Dans mon cas ce n'était pas une attente anxieuse, mais plutôt comme un moment d'apaisement. Le ciel était bas et il faisait bon. Tout était calme et cotonneux. Un peu comme quand on sniffe de l'éther ou que l'on contemple un grand espace vide en essayant de se remémorer vaguement ce qui a pu être là avant.

Après ma fugue à Paris à treize ans, quand mon père a perdu les pédales en me cognant si fort que, si on ne l'avait pas arrêté, il m'aurait tuée, j'ai tout à coup cessé d'exister pour lui. Plus une seule question sur ce que je faisais, où j'allais. Rien. Nous mangions dans un silence de mort et, une fois le repas terminé, il dépliait son *Ouest-France* et se mettait à le lire pendant que Mamie Soize et moi, nous regardions la télé. Le reste du temps il me fuyait, passant ses journées à la pêche, se vengeant en conversations expansives avec ses potes plaisanciers du mutisme qu'il s'imposait avec moi. Et quand il lui arrivait de recevoir quelqu'un, il donnait le change avec une bienveillance laconique du genre *elle est bien gentille, cette petite* qui m'exaspérait encore plus. Je le détestais, mais je n'ai jamais rien fait pour que ça change. Mieux, c'est à ce moment-là que j'ai enchaîné connerie sur connerie pour le provoquer, la plus flamboyante de toutes ayant été de quitter la terre en voiture à partir d'une falaise.

On aurait pu croire que, le jour où il m'a dérouillée, il était juste furieux après moi pour lui avoir collé la honte devant toute l'île. Malheureusement, c'était bien plus blessant que ça. Après avoir fait le tour de la question, j'en suis arrivée à la conclusion suivante : il n'a jamais pu s'aimer à travers moi comme il l'avait fait avec feu ma mère, un beau trophée qu'il exhibait en mode *vous avez vu comme elle est belle, ma femme.* Parce que c'était ça, ma mère, paraît-il, une très jolie vacancière. Une fille de trente ans de moins qu'il avait fait chavirer grâce à ses tatouages et son blabla de marin. Je suis née à peine six mois et demi après leur rencontre et on imagine qu'il a réembarqué le lendemain de ma conception puisque lorsque le matricide a eu lieu, ça faisait cinq mois qu'il était en mer.

C'est donc ce fameux jour où les gendarmes m'ont ramenée qu'il a fait son deuil de ma personne. Je l'avais déçu, mais le problème c'est que ça datait de ma première respiration. J'étais intrinsèquement une déception.

Rester là à attendre au bout de cette jetée, appuyée sur le garde-corps, en prenant mon tour dans cette longue lignée de femmes de l'île, m'a aussi permis de remonter le temps et de me mettre dans la peau de Corentine Malgorn, mon arrière-grand-mère, postée exactement au même endroit, un siècle et demi plus tôt.

Le 26 janvier 1871, l'armistice est signé. Enceinte de plus de six mois, ne pouvant plus dissimuler sa grossesse, elle guette les bateaux qui arrivent sur l'île et lorsque les marins débarquent, elle les interroge fébrilement sur la réouverture des routes et des voies ferrées ainsi que sur le retour des soldats. Janvier, février, toujours rien. Début mars, victime de la méchanceté et de l'asphyxiante bêtise régnant dans les petits endroits fermés comme le nôtre, repoussée par sa propre famille lui reprochant de l'avoir déshonorée, elle fait ce qu'on faisait à l'époque lorsqu'on a des problèmes : elle va voir le curé.

"Quitte l'île immédiatement ! Prends l'argent chez le notaire et trouve ceux qui ont acheté Breval. S'il est mort à la guerre, ils te doivent le solde. Il y a 4 000 francs qui t'attendent à Brest, alors va-t'en faire ta vie, mais ne reviens jamais ici !" a dû lui conseiller le colosse des îles Bourbon, parce qu'elle n'a remis les pieds sur l'île qu'en 1920, à soixante-dix ans.

J'en profite pour signaler que je ne l'ai pas inventé, ce curé. Je l'ai décrit comme il figure sur les gravures publiées dans L'Illustration lors du naufrage du Drummond Castle en 1896 qui fit 358 morts.

J'ai également retrouvé la trace du passage de Corentine à Brest dans les minutes de l'office notariale de Kersauzon de Pennendreff aux archives départementales du Finistère. Elle a perçu le 3 mars 1871 les 4 000 francs gardés par le notaire devant lequel Breval avait signé avant de partir à l'armée, et le 6 mars, la ligne Brest-Paris a réouvert jusqu'à la gare Montparnasse.

Voici donc Corentine Malgorn dans un train bondé traversant la France en pleine occupation prussienne. Elle a vingt et un ans. Elle est vêtue de noir avec une robe à mi-mollet qui cache son ventre, un châle noir brodé mettant en valeur sa croix de communiante en or et un bonnet blanc sur ses cheveux coupés court. Elle parle le français suffisamment pour se débrouiller car elle était allée jusqu'à l'âge de treize ans chez les sœurs où on enseignait la langue pour former les garçons avant qu'ils ne s'engagent dans la marine, et surtout elle sait lire. Il n'y a pas que cela qui la rende éminemment moderne : elle est issue de la seule société matriarcale d'Europe ; sa vie ne racontera donc pas l'histoire des hommes qui lui ont marché dessus. Elle ne connaît que le nom de famille de ceux qui ont acheté son fiancé, les de Rigny, résidant à Saint-Germain-en-Laye. Elle est enceinte jusqu'aux yeux, elle n'a pas de temps à perdre.

Il existe une autre trace d'elle, et non des moindres : son livret de Caisse d'épargne. Il était dans les affaires de la famille entassées dans la cave de mon père. Il m'apprendra qu'elle a été à la fois riche et économe. Qu'elle a déposé au guichet de Paris-Montparnasse 3 850 francs le 14 mars 1871, mais aussi 6 000 francs le 26 mars, soit une semaine avant la naissance de mon grand-père ; c'est ça qui m'a fait me dire que le beau-frère Jules, mandaté pour acheter Botquelen, avait dû barboter de l'argent aux de Rigny, le total de ces deux dépôts étant notablement supérieur au prix de 8 000 francs tel qu'il figurait sur l'acte de vente.

Cinq jours après la publication de l'annonce du décès de mon père, alors que j'étais en train de remplir des cartons en luttant contre une furieuse envie de tout brûler, ma copine Tiphaine qui travaille à la mairie m'a appelée sur mon portable. Un type charmant en costume-cravate était, au moment même où elle me parlait, en train de consulter les registres d'état civil de l'île à propos de ma famille.

Je me suis dit que mon faire-part de décès dans *Ouest-France* avait dû alerter quelqu'un. Pour venir nous chercher jusqu'au beau milieu du trou du cul de l'Iroise, nous les gueux de Bretagne, il avait dû y avoir comme une panique patrimoniale chez les fondés de pouvoir des de Rigny.

Avec la même méthodologie que l'on applique aux familles, on peut, grâce aux archives du Registre du commerce, reconstituer sur Internet la généalogie d'une entreprise.

Les Établissements de Rigny de l'époque de l'achat de mon ancêtre, après deux augmentations de capital dont une en pleine occupation prussienne, sont devenus en 1890 De Rigny Construction, puis en 1908 RGL Construction, Ferdinand de Rigny s'associant à deux polytechniciens, Gireur et Legros, dont l'un allait épouser sa fille.

Dans la première moitié du XXᵉ siècle, ce qui ne s'appelait plus que la RGL a étendu sa raison sociale : en plus des travaux publics, elle donne dans la concession et la fourniture d'énergie. Une autre source – les archives de la commission d'épuration – m'a appris que la société, ou plutôt son dirigeant, Guillaume de Rigny, le plus jeune fils de Ferdinand, le père de feu Philippe, a eu quelques problèmes judiciaires après la guerre, peinant à expliquer comment il avait fait pour procéder à quatre augmentations de capital entre 1940 et 1944, mais rien de grave puisque le procureur en charge du dossier avait été démissionné avant que l'affaire ne prospère.

La RGL a continué à croître pendant les Trente Glorieuses dans des proportions considérables grâce à la reconstruction, et pendant les Trente Piteuses grâce au choc pétrolier et à sa branche énergie pour être finalement vendue une fortune dans les années 90 à un géant du BTP, Philippe de Rigny ne gardant que la filiale courtage Oilofina pour rester dans la course politique.

Vu qu'il n'y a qu'un seul bateau le soir pour revenir sur le continent, retrouver un homme en costume sur l'île était vraiment très simple : il suffisait de demander à n'importe qui s'il l'avait vu. Il était en train de déjeuner seul à une table dans le seul restaurant ouvert en morte saison. Je suis entrée, j'ai salué le patron et je me suis assise sur la chaise en face de lui :

— C'est difficile dans des endroits aussi petits de passer inaperçu, surtout lorsque l'on colle son nez dans la vie des gens. En quoi ma famille vous intéresse-t-elle ?

Il m'a raconté ce que je savais déjà et, pour donner le change, j'ai fait l'étonnée.

Il était mandaté par les administrateurs du trust qui détenait les avoirs d'une famille se résumant à une quasi-centenaire et à une alcoolique de soixante-douze ans, ce qui était résolument inquiétant pour des gens qui se gavaient d'honoraires et qui risquaient de perdre leur boulot.

— Vous voulez savoir quoi exactement ?

— C'est une démarche officieuse de notre cabinet, la famille n'est pas au courant.

— Vous n'avez pas répondu à ma question : vous voulez savoir quoi ?

— Qui seraient les héritiers du trust si le malheur choisissait de s'abattre également sur Marianne de Rigny.

— Vous me dites que la fille de cette dame vient de décéder d'une overdose, d'accord, mais elle, elle n'a pas de frère ou de sœur ?

— Elle avait un frère qui est mort lynché avec son fils, lors d'une émeute en Afrique. Une fin atroce au demeurant ! Ce dernier avait également une fille qui est morte dans un tremblement de terre au Népal.

— Overdose, tremblement de terre, lynchage, tout ça la même année, mais c'est une pure malédiction qui s'est abattue sur cette famille, dites donc !

— Elle a également un frère jumeau, mais la famille l'a renié il y a de cela très longtemps. Nous ne retrouvons plus sa trace. Nous ne savons même pas s'il est encore vivant.

— Renié ? Mais ça ne veut rien dire, juridiquement, *renié*.

179

— Nous sommes d'accord, sauf que la famille ne veut pas en parler. À part Marianne, il ne reste donc personne. Et puis, en mettant une alerte sur Internet, nous sommes tombés sur l'annonce du décès de votre père et, comme c'est un nom très rare, on m'a envoyé ici pour consulter son état civil au cas où. Je suis donc remonté à une retranscription de l'acte de mariage de votre grand-père Renan avec sa femme Rose sur lequel figure le nom d'Auguste de Rigny comme père du marié. Comme l'état civil parisien antérieur à juin 1871 est parti en fumée, nous ignorions l'existence de ce descendant direct.

— Je l'ai, cet acte ; il était dans les papiers de mon père.

— Mais qui est donc cette Corentine Malgorn ?

— Une sacrée bonne femme. Il y a sa photo dans un mausolée du cimetière. Vous ne pouvez pas le louper, c'est le plus imposant.

— Et vous, vous êtes donc l'arrière-petite-fille d'Auguste de Rigny, la plus jeune héritière connue après Marianne et son frère jumeau qu'on ne retrouve pas.

— Si vous le dites ! Alors, donc, enchantée : je m'appelle Blanche, j'ai trente-huit ans et j'ai une fille de dix ans qui s'appelle Juliette. Voilà. Et contrairement à ce que laisserait suggérer mon look, je ne suis pas atteinte d'une maladie dégénérative. Ma grand-tante de quatre-vingt-treize ans pète le feu et si mon père est décédé il y a peu, c'est parce qu'il s'est noyé, sinon lui aussi, il serait en pleine forme. Vous devriez organiser une cousinade, comme on dit chez nous, pour qu'on se présente les unes aux autres.

Il a ignoré ma remarque.

— Ma direction vient à l'instant de me demander de vous retrouver, mais puisque vous êtes là, ça tombe bien, elle a quelque chose à vous demander, même si c'est un peu délicat...

— Soyez à l'aise, ai-je fait avec un grand sourire.

— Mes patrons me demandent de vous poser la question officieuse suivante : si par extraordinaire un malheur arrivait encore, quelles seraient vos intentions pour le trust ?

— C'est un truc d'optimisation fiscale dans une île paradisiaque avec des palmiers, c'est ça ?

— Oui, aux îles Vierges britanniques.

— Si cette famille paye des gens pour administrer leur fortune et que ces derniers prennent sur eux d'envoyer quelqu'un jusqu'ici juste pour consulter un registre d'état civil, c'est qu'il y a énormément d'argent, non ?

— Oui.

— J'aime beaucoup la vie insulaire. Dites ça à vos patrons, ça les rassurera peut-être...

Jules Vallès avait publié quelques jours plus tôt, à l'occasion du défilé des Prussiens sur les Champs-Élysées, un éditorial dans *Le Cri du peuple* qui avait remué Auguste au plus profond de lui-même :

Ne tire pas sur eux, républicain, ne tire pas parce qu'on voudrait que tu tires. Et ne te fais pas tuer, lâche héroïque, quand il y a encore du bien à faire ; quand à côté de la Patrie en deuil, il y a la révolution en marche.

"Un lâche héroïque. Voilà ce que je suis. Un lâche héroïque." De ses pas, il martelait l'oxymore alors qu'il rentrait chez lui dans la pénombre, le gaz ne revenant qu'avec parcimonie depuis la levée du siège. Il sortait du Tivoli-Vauxhall où s'étaient tenues les réunions du comité central de la Garde nationale. Tous les soirs il se rendait là-bas, tout bouillonnant de conviction et d'ardeur, dévoré du besoin d'agir, désirant de tout son cœur que la Commune l'appelât à lui rendre gloire. Mais là encore, alors qu'il réclamait une responsabilité dans cette nouvelle armée des Fédérés, les vieux quarante-huitards le repoussaient gentiment en l'appelant le jouvenceau ou le p'tiot en lui promettant qu'un jour son tour viendrait. Il les admirait, c'est vrai, certains d'entre eux ayant connu le cachot ou la déportation, mais il les trouvait d'une prudence raisonneuse qui décevait son impétuosité.

À la hauteur du boulevard Magenta, il aperçut çà et là, émergeant de la brume nocturne, de petits groupes de soldats tenant leur fusil à deux mains comme pour partir au front. "Mais où vont-ils tous ?" se demandait le jeune homme adossé à un immeuble de la place du Château-d'Eau. Il en croisa d'autres rue Saint-Denis : les mêmes, silencieux, rapides, le visage fermé. Il se résolut à faire demi-tour et à les suivre discrètement en longeant les façades de porte cochère en porte cochère. Il remonta ainsi tout le boulevard jusqu'à la butte Montmartre vers laquelle convergeaient, venant des rues Marcadet et du Mont-Cenis, d'autres groupes de soldats. Des centaines de soldats.

De là où il se tenait, il apercevait les flancs de la colline de Montmartre où il vit des hommes du génie en train de démolir les ouvrages de protection qui entouraient les canons sous la direction d'un général à cheval.

"Ils déménagent nos pièces !" murmura-t-il tout bas.

Il se mit à courir et à grimper la butte hors d'haleine jusqu'à la tour Solférino qu'il savait abriter un groupe de gardes nationaux en faction. Là, au pied de la bâtisse gisait au sol un homme en uniforme sur lequel était penchée une femme à la jupe grise et au caraco noir, Louise Michel, qu'il avait reconnue pour l'avoir entendue intervenir de nombreuses fois au Tivoli-Vauxhall.

— Citoyenne, les troupes de Thiers sont en train de désarmer le Champ des Polonais. Que puis-je faire ?

— Suis-moi, il faut réveiller Paris !

Et il courut à sa suite, dévalant la butte Montmartre, rameutant les passants sortis de chez eux pour chercher leur pain ou leur lait du matin. Arrivé en bas, il se mit à frapper à chaque porte qu'il croisait pour faire venir le plus de gens possible.

— Versailles nous désarme... Ils retirent les canons du Champ des Polonais...

Auguste se sentait fort, vif, doté d'une promptitude de décision, prêt à soulever Paris à lui tout seul. Il était enfin dans la mêlée.

Déjà les rues se remplissaient de gens effarés qui allaient en prévenir d'autres. De Paris il voyait Louise Michel, très connue dans le quartier, qui hurlait "trahison !" à pleins poumons.

Et la rumeur ricocha jusqu'à l'émeute.

La foule, de minute en minute plus compacte, entourait la place, empêchant les attelages d'approcher. Le général Lecomte, dont Auguste avait appris le nom grâce aux quolibets qui fusaient de toute part, ordonna aux soldats de dégager les pièces à bras d'hommes et de former un couloir avec leurs fusils pour faire approcher les chevaux, mais à chaque fois qu'un canon était attelé les ménagères coupaient les traits au couteau de cuisine. Petit à petit la foule, composée surtout de femmes et d'enfants, en reprit possession et submergea les militaires. Fou de rage, Lecomte ordonna de tirer sur les civils. "Crosse en l'air !" cria un de ses officiers alors que son chef, la bave aux lèvres, le menaçait du peloton d'exécution. À 8 h 30, tout était fini.

Auguste, grisé d'action et de phraséologie révolutionnaire, traîna quelques heures dans le coin puis se décida à rentrer chez lui. Il avait hâte de raconter à sa tante l'arrivée furtive des soldats, les attelages mis en difficulté, les hommes fraternisant avec le peuple, mais surtout comment il avait aidé Louise Michel à déclencher l'action de cette journée qui entrerait sans aucun doute dans l'Histoire. Il redescendit la rue des Martyrs à contre-courant du flot de curieux qui remontaient vers Montmartre et n'atteignit la rue du 4-Septembre que vers midi.

184

— Ma tante, il faut que je vous raconte, c'était extraordinaire, fit-il avec ferveur.

L'appartement ressemblait à un champ de bataille, comme si des cambrioleurs venaient de le quitter. Clothilde et sa bonne Rosalie étaient en train de bourrer frénétiquement leurs valises de tout ce qu'elles pouvaient attraper.

— Mais qu'est-ce qui se passe ? Vous allez où ?

— Quand j'ai appris qu'on déménageait les canons, vous pensez bien que je suis sortie. C'est alors qu'en progressant vers Montmartre, j'ai vu des barricades se dresser un peu partout et des militaires fuir vers la Concorde. Thiers a décidé de partir avec le gouvernement à Versailles tout à l'heure ; il ne m'en faut pas plus. Je rentre à Saint-Germain ! Aidez-nous à porter tout ça jusqu'à la gare Saint-Lazare.

— Mais, ma tante, j'y étais, à Montmartre... C'était bon enfant. Il n'y a eu qu'un seul coup de feu tiré et c'était par un militaire.

— Moi, j'étais place Pigalle et j'ai vu de ces crapules... Vous n'avez même pas idée ! Déjà en train de renifler le désordre. Ils ont fait prisonnier deux généraux qu'ils parlent de passer par les armes. L'insurrection est en train de prendre la ville tout entière et je sais de source sûre que les troupes se replient sur Versailles. Demain nous serons livrés au déchaînement de la populace. Dépêchons, Rosalie ! Courez devant ! Allez prendre des billets. Peu importe la classe, nous devons monter dans le prochain train avant qu'ils ne soient tous pris d'assaut. Vous m'attendrez au bout du quai 3.

Auguste, abasourdi, courait derrière sa tante. Croulant sous les paquets, ils croisaient rue Auber des familles de bourgeois paniqués avec, entassés sur leur dos, tous les vêtements qu'ils avaient pu enfiler, des voitures à bras chargées de valises et de bimbeloteries ainsi que quelques fiacres tirés par les rares chevaux qui avaient eu la chance de ne pas avoir été mangés. Tous convergeaient vers la gare Saint-Lazare.

— Vite, Auguste, c'est déjà la ruée !

— Vite… Ça pèse une tonne ! Qu'est-ce que vous emportez là-dedans ?

— Mon argenterie.

— Vous êtes folle !

Rosalie, qui avait réussi à prendre des places en seconde, attendait Clothilde à l'endroit prévu.

Auguste installa sa tante dans le compartiment. Cette dernière le retint par le bras et lui dit gravement avant que le train ne s'ébranlât :

— Vous êtes un jeune crétin exalté, mon neveu, et vous me plaisez comme vous êtes parce que vous me faites rire. Mais là, il faut cesser car ça n'est plus du tout une plaisanterie. Je connais Thiers intimement ; vous pouvez me faire confiance : il vous tuera tous, vous les communards, ne serait-ce que pour avoir osé effrayer les bourgeois.

C'est à Chatou, alors que le train commençait à se vider, que Clothilde la remarqua.

Il faut dire qu'on ne voyait qu'elle. Avec une allure qui ne ressemblait à rien de connu, elle se tenait assise toute droite coincée au milieu du capharnaüm de valises débordant de froufrous et de bibelots et semblait totalement étrangère aux événements politiques qui les avaient tous fait fuir de Paris.

"Qui ça peut bien être ? se demandait Clothilde. Une de ces bonnes bretonnes que les bourgeois de Seine-et-Oise affectionnent pour garder leurs enfants ? Et pourquoi n'a-t-elle pas de bagages ?" Elle chuchota quelque chose à l'oreille de Rosalie qui fit "non" de la tête en montrant discrètement du menton le ventre arrondi de la femme : elle était grosse et n'avait pas l'air d'en avoir honte. Plus, il émanait d'elle comme une dignité rayonnante.

Au Pecq, elle ne descendit pas non plus, ce qui intrigua encore plus Clothilde.

Tout à coup, alors qu'elles n'étaient plus qu'à quelques kilomètres de leur destination, la jeune femme se pencha vers elle et lui dit :

— Bonjour, madame, je me permets. Vous allez à Saint-Germain-en-Laye et vous avez l'air d'être une grande dame. Je me nomme Corentine Malgorn et je viens de très loin. Je cherche une famille importante, les de Rigny, pour lesquels mon fiancé a été remplaçant. Sauriez-vous où ils habitent ?

— Oh mon Dieu, ne put s'empêcher de lâcher Clothilde.

11

Dans mes souvenirs je n'avais mis les pieds rue du Faubourg Saint-Honoré qu'une seule fois avant celle-ci, à l'occasion d'une journée du patrimoine pour aller visiter l'Hôtel de Rigny, un splendide palais offert à la veuve du frère de Casimir et de Clothilde en 1867. Le taxi m'ayant larguée place Beauvau à cause d'un cortège officiel sortant de l'Élysée, j'en ai profité pour remonter la rue à pied et même si rien ne pouvait me correspondre dans toutes les boutiques de luxe que je croisais, c'était un réel plaisir des yeux d'admirer le savoir-faire que déployaient les artisans pour ceux qui pouvaient se payer leur travail. Alors j'ai pris mon temps et j'ai cheminé tranquillement vers le Cercle de l'union interalliée.

Si j'avais eu l'idée quelques jours plus tôt de contacter par Instagram le hipster à lunettes, le petit ami de feu Alice de Rigny, c'était parce que j'y voyais une piste pour connaître la fin de l'histoire de mon héros : ce n'était tout de même pas un hasard s'ils avaient, lui et ses deux amis, choisi mon île pour honorer la mémoire de leur copine en lançant de ses falaises des nounours à la mer.

Auguste n'était pas comme mon grand-père Botquelen, un *res nullius*, abandonné dans un fossé. C'était un fils de famille. Un fils de famille, ça ne disparaît pas comme ça.

Intrigué, il a répondu immédiatement à mon petit message et nous nous sommes rencontrés dans un café en bas de chez moi. Lorsqu'il m'a vue assise avec mes béquilles appuyées au bord de la table, il a eu un mouvement de panique, croyant à un plan drague glauque, puis il s'est ravisé, mon allure et mon visage lui disant vaguement quelque chose :

– Je vous connais ?

– Non, mais nous nous sommes vus une fois. C'était l'hiver dernier, votre copine venait de décéder et vous êtes venus en pèlerinage sur l'île où j'habite. Si je me suis permis de vous contacter, c'est parce que je voulais vous demander pourquoi avoir choisi d'aller là-bas, spécifiquement, et pas ailleurs ?

– Mais vous êtes qui ?

Là, je lui ai raconté l'histoire de ma famille en omettant la partie *j'écoute aux portes* qui avait été à l'origine de mes investigations lorsque nous étions tous ensemble sur le bateau.

– Donc je réitère ma question : est-ce qu'à votre avis cette famille sait que nous existons ?

– Franchement ça m'étonnerait, sinon j'en aurais entendu parler et puis, les connaissant, s'ils avaient appris à l'époque que l'un des leurs avait reconnu un nouveau-né qui n'était pas de leur milieu, ils l'auraient fait trucider aussi sec. Surtout que votre grand-père, si j'ai bien compris, était légitime à réclamer sa part d'héritage. Et quand il s'agit de fric, franchement, je ne sais pas ce qui peut arrêter ces gens.

– C'était quoi alors, ce pèlerinage ? Un hasard ?

– Pas vraiment non plus ! On s'était tous dit qu'on partirait là-bas un jour à cause d'une *private joke*. Alice avait chez elle un livre qui venait de chez ses parents. Le genre de merde littéraire à compte d'auteur pondue par un aïeul et qu'on se sent obligé de garder au fond de sa bibliothèque génération après génération. Elle disait qu'il lui avait fait son éducation sexuelle et parfois, pour nous faire marrer, elle nous en lisait des passages. Ça raconte avec des détails archi cochons une orgie sur plusieurs jours que des amazones assoiffées de sexe font subir à un pauvre explorateur. Elles lui pressent le jus jusqu'à la dernière goutte et il finit par mourir d'épuisement et d'extase après avoir ensemencé toutes les filles en âge de procréer. Une sorte de Jules Verne porno : *Les Aventures du comte Mogador au pays des amazones* d'un certain Jules de Brassac. Et l'action se passe sur votre île.

"Ah tiens, celui-là, il est passé complètement sous mon radar", ai-je songé.

— Et la tante et la grand-mère de votre amie, vous les fréquentiez ?

— Pas du tout. Je les ai seulement entraperçues sur le yacht où Adrienne faisait ses fêtes. Personne ne s'est jamais vraiment intéressé à moi, dans cette famille. Mais si vous voulez les voir, c'est pas compliqué : la vieille déjeune tous les jours au Cercle de l'union interalliée. Je le sais pour y avoir mené Alice en scooter plusieurs fois où elle était de corvée. N'y allez pas en jean, il paraît que c'est totalement interdit.

Je suis entrée dans la cour de l'hôtel particulier et lorsqu'on m'a demandé qui j'étais, j'ai simplement donné mon nom et dit que j'allais déjeuner avec ma grand-tante. On ne m'a rien demandé d'autre et on m'a tranquillement conduite vers une terrasse donnant sur un magnifique parc.

— Comme il fait beau temps, Mme de Rigny m'a dit qu'elle voulait déjeuner au jardin. Elle sera là dans quelques minutes, le temps que sa fille se gare dans la cour.

J'ai poussé un soupir d'aise entourée de toute cette beauté en notant avec surprise à quel point je m'adaptais aisément aux douceurs que procure l'argent.

Yvonne, la presque centenaire, est arrivée au bras d'un majordome qui l'a posée délicatement sur la chaise en face de la mienne avec la même précaution que l'on déploie pour manier un vase ancien hors de prix.

– Votre petite-nièce est déjà là, elle vous attend.

– Parfait, parfait !

Elle avait l'air ravie de me voir, ou plus exactement des centaines de liftings avaient donné à ses yeux perpétuellement écarquillés et à sa bouche tirée en un éternel sourire un air radieux de sucrer complètement les fraises.

– Ça va bien, mon petit ?

C'était surréaliste.

– Oui, ma tante. Je suis venue vous voir car j'envisage d'écrire un genre de chronique sur notre famille, mais il me manque la fin.

– La fin ?

Là son esprit a dû s'envoler très loin, parce qu'elle a répété ce mot plusieurs fois avec un sourire béat.

C'était mal barré.

Tout à coup, alors que tata et moi étions en harmonie, la silhouette d'une énorme poivrote, portrait craché d'Adrienne avec trente années et trente kilos de plus, la même cigarette électronique goût Tagada à la bouche, a éclipsé la lumière du soleil.

– Vous êtes qui, vous ?

– Je m'appelle Blanche de Rigny et comme je viens de le dire à votre mère, je suis en train de me documenter sur l'histoire de notre famille et principalement sur notre ancêtre commun, Auguste, le frère de Ferdinand votre arrière-grand-père.

Pendant que je parlais, j'ai sorti ma carte d'identité qu'elle a tripotée avec un air d'incompréhension totale.

– Commun à qui ? Quoi ? Vous voulez de l'argent ?

– Non, pas du tout, je voulais juste vous demander, à vous ou à votre frère, si vous savez quand et dans quelles circonstances ce fameux Auguste était décédé car rien

191

n'est précisé à ce propos sur son état civil et donc pour se figurer sa fin, forcément, c'est compliqué…

— Mon frère est mort en Afrique.

— Je parle de votre autre frère ; votre frère jumeau : Pierre.

Là, ses yeux de pochetronne se sont obscurcis de rage et elle a approché son visage si près du mien que l'éthylène émanant de son haleine m'a carrément brûlé la peau. Son corps entier puait l'alcool comme une vieille éponge qui aurait nettoyé une flaque de vinasse.

— Comment vous vous permettez ?!

— Pierre ? Pierre, tu es rentré ? a fait la vieille, toute joyeuse. Pierre, viens voir maman…

C'était extrême.

Je n'ai pas insisté. J'ai ramassé ma carte d'identité et me suis levée avant qu'on soit tenté de me foutre dehors.

— Je vais vous coller un procès ! Vous n'aurez rien ; pas un centime ! l'ai-je entendue vociférer derrière moi.

Lorsque je suis arrivée sous le porche, j'ai demandé au voiturier de m'indiquer où était garé le véhicule de Madame parce que j'avais peur d'avoir oublié un truc sur la banquette arrière. Il m'a montré une énorme Bentley. Je m'en suis approchée en faisant semblant de scruter l'intérieur, j'ai noté le numéro de la plaque et fait une photo discrète de la voiture avec mon portable.

Parce que, par-dessus tout, je déteste qu'on me traite mal, j'ai voulu donner une leçon à cette horrible bonne femme.

À mon boulot, dès qu'une greffière a eu le dos tourné, je suis allée consulter le casier judiciaire de Marianne de Rigny sur CASSIOPEE. Comme je l'avais pressenti, elle était une habituée de ce qu'on nomme chez nous *les audiences muscadet.* Elle avait été condamnée sept fois pour conduite en état d'ivresse, dont l'avant-dernière à une peine de trois mois avec sursis et la dernière à trois mois ferme sans mandat de dépôt, ce qui ne l'empêchait toujours pas de conduire bourrée.

La prochaine serait la bonne.

J'ai demandé à Dioulou, le chef de mon équipe de coursiers, qui était le seul à avoir un permis de séjour, de la suivre à vélo lorsqu'elle sortirait du Cercle et de simuler un accident, puis d'appeler à grands cris la police.

Vingt-quatre heures après, elle était jugée en comparution immédiate où, en pleine crise de delirium tremens, elle a accablé la présidente d'insultes.

J'étais assise au fond de la salle et lorsqu'elle m'a aperçue, elle a poussé une sorte de beuglement tellurique, un truc sorti du fond des âges qui a rempli l'espace et qui m'a fait dire qu'elle avait compris. Quoi, je ne pourrais pas exactement dire, mais elle a dû sacrément mal le prendre car, rajouté au décès de sa fille, aux six mois de prison ferme qu'elle s'est mangés ainsi qu'à la révocation de ses trois mois de sursis et la mise à l'écrou de ses trois mois ferme, elle s'est pendue dans le dépôt avec sa ceinture Hermès qu'un flic négligent ou simplement effrayé avait oublié de lui retirer.

Lorsque à un moment j'ai vu les journalistes abandonner leur position devant la porte d'un procès médiatique pour courir en une troupe compacte vers l'entrée du dépôt, je me suis dit qu'il n'y avait vraiment que la vie et la mort pour être des vérités absolument parfaites. Le reste c'était du subjectif, du blabla, du flan.

Voilà ce que je me suis dit.

"Dieu merci, personne ne m'a vu entrer", songea Auguste pendant que le prêtre de Notre-Dame des Victoires marmottait des phrases en latin tout en aspergeant son pauvre fils d'eau bénite. La veuve Malgorn avait beaucoup insisté sur ce baptême et il n'avait eu d'autre choix que d'accepter et de prendre son mal en patience.

Voir ainsi Corentine et la marraine bretonne qu'elle avait choisie répéter avec un sourire béat les incantations de l'homme d'Église lui rappelait la conversation qu'il avait eue deux mois auparavant avec sa tante Clothilde à propos du résultat désespérant des élections législatives :

— Mais qu'est-ce que vous croyez ? Que la France se résume aux Grands Boulevards ?

— Mais, ma tante, il s'agit des premières élections de la nouvelle République... Des hommes brillants se présentent : Hugo, Gambetta, Quinet, Rochefort... Et non, ils désignent une assemblée à 60 % monarchiste... Mais comment une chose pareille peut-elle être encore possible en 1871 ?!

— Parce que la France est une nation de culs-terreux aux idées courtes à qui il faut de l'ordre, Dieu, la paix et le cadre rassurant de ses traditions : son roi, ses comices et ses ridicules petits bals de la Saint-Jean que j'ai en horreur. Il n'y a que Thiers pour la comprendre telle qu'elle est et s'en faire accepter.

Elle avait raison : le serpent à lunettes, *l'ami de la famille*, avait été plébiscité par les *culs-terreux*.

Il ne lui en voulait pas, à cette malheureuse veuve de guerre, d'être une bigote ; il en voulait aux curés d'avoir maintenu aussi longtemps le peuple dans cet état infantile. "Qu'il en profite bien, de sa secte", se disait-il en regardant le prêtre officier. Quelques semaines encore et il en sera fini de ce rite abêtissant et des églises de Paris qu'on transformerait en maisons du peuple. S'il lui avait concédé cette messe, il avait fermement refusé que son nom figurât sur le registre des baptêmes.

Une fois la bénédiction terminée, il ne lui restait plus qu'à subir l'interminable Credo et il en serait fini de cette cérémonie affligeante. Ils traverseraient alors la rue en famille jusqu'à la mairie du IIe arrondissement où les attendaient Perrachon et Trousselier pour un véritable baptême cette fois ; un baptême républicain.

Credo in Deum, Patrem omnipotentem, Creatorem cæli et terræ... Et in Iesum Christum, Filium eius unicum, Dominum nostrum...

Auguste songea à tous les événements qui s'étaient succédé à une vitesse affolante ces deux dernières semaines.
Le 20 mars, soit deux jours après l'histoire des canons où il s'était illustré, il avait reçu de la part de son père une sommation assortie de moult menaces de rentrer à Saint-Germain-en-Laye. En réponse, il s'était enrôlé dans la Garde nationale qui cette fois l'avait accepté, prêt à donner sa vie pour la Commune. La famille n'avait pas apprécié, ça n'était rien de le dire, et avait décidé de lui couper les vivres. Depuis il ne quittait plus l'uniforme des fédérés, sauf pour ce baptême inepte où il était venu en civil afin qu'on ne le remarquât pas.

... qui conceptus est de Spiritu Sancto, natus ex Maria Virgine, passus sub Pontio Pilato, crucifixus, mortuus, et sepultus, descendit ad inferos...

Le 25, il avait reçu un billet de sa tante lui racontant le débarquement de Corentine Malgorn à Saint-Germain-en-Laye ainsi que l'énorme dispute familiale qui s'ensuivit à propos du paiement du solde de son remplacement : Ferdinand et Jules d'un côté, Casimir et son épouse de l'autre, et Berthe au milieu ne cessant de pleurer et de tourner de l'œil ; Clothilde s'était beaucoup amusée et avait défendu bec et ongles, en bonne patriote, les intérêts de la veuve de guerre. Son petit mot se terminait par ces quelques phrases mystérieuses : *elle parle le français et pourra donc vous renseigner sur qui était l'homme qui est mort à votre place. Je sais que vous y tenez. Par pitié ne faites pas la bêtise que je pense que vous ferez.* S'ensuivait l'adresse d'une pension à Montparnasse.

... tertia die resurrexit a mortuis, ascendit ad caelos, sedet ad dexteram...

D'un coup de coude dans les côtes, la mère de son fils le rappela à l'ordre parce qu'il massacrait le Credo en psalmodiant à contretemps une mélopée incompréhensible.

... Dei Patris omnipotentis, inde venturus est iudicare vivos et mortuos.

Il était immédiatement parti à sa recherche à l'adresse indiquée et c'est seulement lorsqu'il la vit, debout devant lui, à deux doigts d'accoucher, qu'il comprit le message de sa tante. La joie l'avait alors irradié comme le soleil.

Pendant que le fiacre l'attendait devant sa pension, Auguste déploya des trésors d'imagination pour la persuader de le suivre au domicile de sa tante, mais elle se contenta de l'écouter les bras croisés sans sourciller. Néanmoins, après trente minutes de palabres, ce furent les mots *cabinet d'aisance avec eau courante* qui emportèrent le morceau et lui permirent de ramener la jeune veuve rue du 4-Septembre où elle donna naissance à un fils.

Sur le chapitre Breval Botquelen, elle n'avait strictement rien à raconter à part : "Bah, c'était un homme, quoi…" "Il était bien courageux…" Ou : "C'est bien triste ce qui lui est arrivé…" Aucun emportement romantique, aucune tristesse amoureuse, rien. Comme si ce pauvre gars n'était plus envisagé par cette femme que pour avoir été le géniteur de son enfant. Question conversation, ça n'était guère mieux. Lorsqu'il avait tenté de connaître ses opinions politiques, elle avait répondu : "Moi, tout c'que je veux, c'est manger ma soupe tranquille, monter un beau commerce et surtout qu'on ne fasse pas de la peine au Bon Dieu" avec cet accent épouvantable qui puait la terre trempée.

Pieuse, basse de front, à la limite de la chouannerie, Corentine était dans son genre assez déroutante ; à la fois très libre et aux antipodes du modèle de femme émancipée qu'il côtoyait quotidiennement sur les barricades.

… Credo in Spiritum Sanctum, sanctam Ecclesiam catholicam, sanctorum communionem, remissionem peccatorum, carnis resurrectionem vitam aeternam.
Amen.

— Voilà, allez, c'est fini, on s'en va ! fit Auguste en orientant les deux Bretonnes vers l'extérieur.

Elles s'exécutèrent de mauvaise grâce, non sans lui avoir jeté un regard noir pour être ainsi poussées hors de l'église.

À la porte de la mairie, ils furent accueillis par Perrachon et Trousselier vêtus de leur uniforme de la Garde nationale et par un vieux poète quarante-huitard débraillé, Eugène Pottier, le nouveau maire du IIᵉ. Ce dernier tendit à Corentine un bouquet d'œillets rouges tout en la gratifiant d'un *Salut citoyenne* qui lui déplut souverainement.

Ils pénétrèrent ensuite dans la salle des fêtes de la mairie. Auguste avait préparé pour l'occasion un discours à la rhétorique nuageuse où il était question de la Mère Nation, d'anticapitalisme et de tyrannie de la marchandise, mais il ne retrouvait plus sa feuille. La cérémonie se résuma donc à la déclamation du poème de Pottier, "L'enfant", exécutée par l'auteur lui-même, qui se terminait par :

Mère, mère, l'heure a sonné,
Couvre de notre drapeau rouge
Le berceau de ton nouveau-né

Puis on inscrivit la filiation sur le registre d'état civil.

— Alors comment se prénomme ce petit citoyen ? s'enquit le maire auprès des parents.

— Renan, fit Corentine. Je veux l'appeler Renan.

— Le nom de votre père sans doute…

— Non, le nom de personne. Celui que j'ai choisi pour lui !

Auguste intervint :

— Mes camarades et moi-même, lorsque la cérémonie sera terminée, nous partirons en campagne derrière Duval et Flourens pour défendre Paris. En cet honneur, je souhaite lui donner comme second prénom Astyanax.

— Excellent, fit le poète.

— C'est quoi ça ? demanda la veuve, les sourcils froncés.

— C'est le fils qu'Hector prend dans ses bras avant de partir défendre Troie contre les troupes grecques d'Achille.

— C'est qui, Hector ?

— Vous connaissez Ronsard ? Un poète comme Monsieur.

— Non.

— Dans son épopée il raconte qu'Astyanax, le fils d'Hector, ayant échappé à la mort en attendrissant les Grecs par sa beauté, entreprend à la demande des dieux un voyage vers la Gaule où il fonde la France.

Corentine se tourna vers le maire :

— C'est connu, ça, que Dieu a envoyé Asty-je-sais-pas-quoi pour fonder la France ?

— Absolument !

— Bon, alors ça me va.

Tout le monde signa le registre et Corentine se fit délivrer une copie de l'acte de naissance de son fils pour le faire inscrire sur son passeport intérieur au cas où elle déciderait de retourner avec lui au pays.

Une fois la cérémonie républicaine terminée, Auguste se changea dans l'arrière-salle et c'est revêtu de son uniforme de la Garde nationale qu'il sortit sur le parvis de la mairie où l'attendaient les autres. Là il prit le petit Astyanax des bras de sa mère pour le brandir vers le ciel :

– Ô Jupiter, et vous tous, dieux immortels, faites que mon enfant soit illustre. Rendez-le fort et courageux pour qu'il règne et commande Troie, afin qu'un jour chacun s'écrie en le voyant revenir du combat : "Il est encore plus brave que son père !"

Puis il rendit l'enfant à sa mère et disparut au coin de la rue.

12

Ça embêtait beaucoup le trust, ce qui arrivait : je n'étais pas encore l'héritière des de Rigny, pourtant il n'y avait plus que moi pour s'occuper de la vieille, alors ils m'ont suppliée de m'installer avenue Foch dans une espèce d'appartement de trois étages avec un escalier à l'intérieur comme on en voit dans les paquebots et un parc sur le toit, pour un salaire mensuel équivalent à ce que je gagnais en un an.

Hildegarde, qui n'avait plus de boulot depuis sa condamnation, a emménagé là-bas avec Juliette et moi, ainsi que deux chiens très moches, Pistache et Géranium, qu'elle s'était empressée d'aller chercher à la SPA. Nous avions également chez nous la lapine la plus recherchée de France, la seule descendante phosphorescente d'Alba, clonée en 2000 avec une méduse, ainsi qu'un mouton mal en point, sauvé ce même jour de descente dans un laboratoire de génie génétique.

La vieille Yvonne était sympa et se sentait bien au milieu des bêtes, mais ma mission était de localiser son fils Pierre et à part me dire, lorsqu'on lui montrait des photos de famille sur lesquelles sa tête avait été minutieusement découpée, qu'il était méchant d'avoir choisi une autre maman, elle ne nous aidait pas du tout.

Nous avons fouillé tout l'appartement, secoué chaque livre, renversé chaque tiroir, visité la cave et les placards. Rien.

Juliette, avec sa pugnacité habituelle, profitant des quelques instants de lucidité approximative de tata après qu'elle se fut empiffrée de gâteaux, essayait d'en tirer inlassablement soir après soir quelque chose de plus :

— Est-ce qu'elle est jolie sa nouvelle maman ? lui demandait-elle en lui montrant encore une fois l'image d'un Pierre sans tête de vingt ans d'âge.

Sur ce cliché datant de février 1968 ainsi qu'il était indiqué au dos, il posait aux côtés de feu sa sœur jumelle Marianne sur une plage de Cannes. Il s'agissait de la dernière photo connue de lui dans l'album de famille, la suivante ayant été purement et simplement arrachée.

— Non, elle est très vieille.

— Vieille comme toi ?

— Plus.

— Et là, pourquoi il y a un trou ? C'était quoi la photo qu'il y avait là ?

— C'est celle que Pierre a prise pour lui envoyer.

— Pierre a arraché une des photos de l'album pour l'envoyer à sa nouvelle maman ?

— Oui, il est méchant, il a cochonné mon album.

On n'était pas rendu.

Un soir où je n'arrivais pas à trouver le sommeil, me rappelant à l'occasion comment j'avais découvert toute l'histoire des de Rigny en googlisant des mots chopés au hasard d'une conversation tenue par des étrangers sur un bateau, j'ai tenté à nouveau ma chance en tapant les termes "mère", "1968", "vieille", "envoyé sa photo".

Page 1 :
— des trucs sur les grossesses tardives ;
— *Que sont devenues les filles de mai 68 ?* ;
— *Cameroun : une vieille dame morte se réveille à son enterrement. 68 personnes piétinées* ;

– *L'intégration progressive du modèle de la mère qui travaille…*
Rien.

Page 2 :
– *cinéma, mannequinat ; la révolution des vieilles dames* ;
– un extrait d'une fable du XIIIe siècle ;
– un article de BFM à propos d'une grand-mère belge de soixante-dix-neuf ans flashée en Porsche à 238 km/h ;
– *L'Agenda de Mère*, texte en français, e-book gratuit.

J'ai cliqué sur cette dernière occurrence et là je suis tombée sur une page qui proposait de télécharger les treize tomes du parcours de Mère vers la vie éternelle au travers de son yoga des cellules, propos recueillis par son disciple Satprem. Sur la première page du site s'affichait le portrait de Mère, une très vieille dame avec un sourire bienveillant qui avait fondé Auroville en 1968 au nord de Pondichéry en recrutant sur photo des jeunes gens venus de toute l'Europe, en particulier de France puisqu'elle aussi était française.
Je me suis levée et je suis allée voir tata dans sa chambre à l'autre bout de l'appartement. Sur le chemin j'ai croisé Jelly, la lapine fluorescente, qui faisait la folle toutes les nuits en passant à fond la caisse d'une pièce à une autre comme une de ces boules qui brillent la nuit que les Pakos vendent devant les Grands Magasins.

Elle était flippante la vieille, lorsqu'elle dormait, on aurait dit une momie égyptienne. Vu qu'à cause des liftings à répétition, elle n'arrivait plus à fermer les yeux et que couchée elle avait l'air d'un petit fagot de bois sec, on ne savait jamais si elle était vivante ou morte.

— Tata, c'est elle, la maman méchante de Pierre ? lui ai-je demandé en montrant sur mon portable la capture d'écran du portrait de Mirra Alfassa, dite la Mère. C'est à elle qu'il a envoyé sa photo ?

Tout à coup très confuse, elle m'a attrapé le bras avec une force incroyable et a fait valdinguer mon téléphone par terre…

— Elle a pris mon petit… C'était son anniversaire… Elle l'a gardé en Inde alors que c'était son anniversaire…

— Pierre est en Inde ?

Là, elle a encore débité quelques phrases du même tonneau avant de s'affaisser sur son lit avec un réel gémissement de souffrance. Ses doigts griffus ont fini par me lâcher puis elle a sombré dans la contemplation des motifs de la toile de Jouy tendue sur les murs de sa chambre.

J'avais trouvé.

Nous avons laissé Yvonne et les animaux sous la garde du nombreux personnel omniprésent qui après une vie de soumission à cette abominable famille n'était pas à une excentricité près et ne voyait donc aucun inconvénient à ramasser de la crotte de mouton et de lapin dans l'appartement, et nous sommes parties pour Pondichéry à la recherche du dernier des de Rigny vivant ; à part moi et Juliette, bien sûr.

Mais, avant, nous avons visionné toutes ensemble un vieux documentaire datant de 1968 sur la création d'Auroville. Au journaliste de la télévision française qui avait traversé le monde pour demander à tous ces jeunes allumés qu'est-ce qui avait bien pu leur passer par la tête pour tout plaquer et rejoindre un gourou aux confins du Tamil Nadu, ils déclarèrent l'un après l'autre : "Nous avons répondu à l'appel lancé par Mère pour vivre la grande aventure." Tous avaient un visage radieux.

Juliette était intriguée par une petite fille blonde de son âge que la caméra suivait. Elle parlait couramment l'anglais, le français, l'allemand, l'hindi et le tamil et passait d'une langue à l'autre en répondant aux questions du journaliste :
– Que feras-tu plus tard ?
– Mère va décider. Comme je peux choisir quelque chose qui ne sera pas bon pour moi, alors c'est mieux que Mère décide.
– Quand tu seras grande, tu auras des enfants ?
– Mère a dit que c'est mieux de ne pas avoir d'enfant. Mère dit qu'il faut faire quelque chose de nouveau.
– Mais Mère ne sera pas toujours là pour te dire quoi faire…
– Mère sera toujours là.
La petite fille racontait qu'elle allait à Last School, première étape vers No School voulu par Mère. Ce qu'on appellera un prof expliquait que l'école du libre progrès ne servait pas à fabriquer des consommateurs clef en main, mais à révéler à l'enfant la vérité de son être et à exciter sa curiosité, afin qu'adulte il soit capable de choisir ce qui est bon pour lui… Et Juliette qui s'emmerdait comme un rat mort en classe trouvait ça trop cool.
Le reportage se terminait sur des images d'hommes aux cheveux longs, barbus et maigres comme le Christ, qui se passaient des seaux de terre dans un immense chantier sur fond de soleil couchant. La voix chaude et maternelle de Mère accompagnait un traveling sur leurs visages sereins : *Il y a des gens qui aiment l'aventure. C'est à eux que je fais appel, et je leur dis ceci : "Je vous convie à*

la grande aventure", ce qui vous arrivera demain, je n'en
sais rien. Il faut laisser de côté tout ce qu'on a prévu, tout ce
que l'on a combiné, tout ce que l'on a bâti et puis se mettre
en marche dans l'inconnu. Et advienne que pourra !

Tata s'est alors mise à hurler en pointant du doigt
l'écran de l'ordi avec un ton qui n'était plus ni délirant
ni celui de Mamie Nova qu'on lui connaissait, mais celui
d'une de Rigny pur jus :

— Petit con, rentre tout de suite à la maison !

Voilà donc où était allé Pierre à vingt ans : il était
parti pour *la grande aventure* rejoindre des hommes et
des femmes ayant adopté comme valeur commune le
détachement matériel, l'abandon de l'ego et l'économie
du don afin d'accéder à une conscience nouvelle.

Comment pouvait-on résister à un truc pareil six mois
après la publication de *La Société du spectacle* de Guy
Debord ? Surtout lorsque l'on sait qu'il ne s'agissait pas
d'un délire sectaire et farfelu, mais d'une expérience lancée en grande pompe par l'UNESCO qui avait envoyé
là-bas pour inaugurer la cité les délégués de cent vingt
et un pays.

Ce documentaire m'a permis de comprendre pourquoi les de Rigny avaient renié leur fils Pierre en bloc.
Parce que l'Argent, la seule langue pratiquée dans cette
famille, avait été impuissant à trouver les mots pour le
convaincre de rester. Alors, puisqu'on en était arrivé à ce
point d'incommunicabilité, autant se fâcher.

Pour notre première fois en avion à Juliette et à moi,
le trust n'y était pas allé de main morte : trois places
en business sur l'A380. Nous avons voyagé dans une
chambre à coucher à l'étage d'un monstre volant. Je n'ai
pas dormi et ma fille non plus. Nous étions allongées sur

le flanc, collées l'une à l'autre, la tête sur un oreiller, en train de regarder le soleil se lever sur une mer de nuages. C'était magique. Quant à Hildegarde, elle était no fly à mort à cause de l'empreinte carbone des avions. Elle dormait comme une souche avec ses pieds qui dépassaient de quarante centimètres du lit et pour finir elle ronflait.

Une fois arrivées à Chennai, à seulement quelques encablures de l'aéroport, nous avons reçu l'Inde en pleine gueule : chars à bœufs, couleurs, misère, deux roues par milliers, voitures par milliards, air irrespirable, chaleur, ordures, oiseaux énormes, estropiés, Moyen Âge avec téléphones portables, vaches errantes, chaleur encore, klaxons, gens qui font caca par terre... Hildegarde et moi, il nous en fallait bien plus pour nous désarçonner ; la mort, la souffrance, l'absence de norme et la difformité, tout ça, nous le connaissions par cœur. Quant à Juliette, du moment qu'on ne lui servait aucun travestissement louche de la réalité, tout lui convenait. Mais ça ne m'étonnait pas que des tas de touristes innocents, après quelques jours dans ce pays, perdent complètement les pédales et finissent prostrés en pleine décompensation dans un coin de leur chambre d'hôtel.

Après quatre heures de route, l'Inde s'est tout à coup arrêtée d'être l'Inde pour céder la place à la sérénité de la forêt avec, émergeant de la végétation, des enfilades de pyramides blanches, des champignons géants percés de fenêtres, des constructions en forme de soucoupe volante et des vieux combis Volkswagen dont les carrosseries éreintées racontaient un voyage depuis l'Europe dans les années 70. Partout des Blancs. Des touristes déambulant en fringues ethno chic et des Aurovilliens affairés circulant à moto avec des gosses blonds, assis derrière eux, les cheveux au vent.

Nous étions arrivées.

J'avais lu pendant le voyage qu'Auroville était le programme de reforestation et de régénération du sol le plus important au monde et que les pionniers avaient planté sur cette terre rouge et aride où il n'y avait absolument rien 2 millions d'arbres. De nombreuses espèces d'oiseaux et d'animaux étaient revenus par la suite, accélérant la dissémination des graines jusqu'à créer carrément une forêt gigantesque et un microclimat. C'était vrai, il y faisait moins chaud qu'ailleurs et la nature était magnifique.

Nous avons passé les jours suivants à circuler à mobylette de village en village portant des noms comme Vérité, Recueillement, Certitude, Courage, Solitude, en demandant à chaque Français que nous croisions s'il connaissait un Pierre qui n'était pas retourné au pays depuis la fondation. Il ne nous a pas fallu longtemps pour le localiser vu que la communauté française adulte ne s'élevait qu'à 350 Aurovilliens dont une poignée de pionniers encore vivants. On nous disait qu'il ne s'appelait plus comme ça parce que Mère lui avait donné un autre nom, qu'il vivait à Rêve dans la Green Belt. Que c'était un taiseux, qu'il logeait dans une maison perdue au milieu des arbres et qu'il ne voyait jamais personne.

Lorsque nous sommes arrivées chez lui avec nos deux-roues pétaradants, il était en train de réparer une tronçonneuse à bout de forces. Un type squelettique au visage comme du cuir séché par le soleil, mais en grande forme, pieds nus, vêtu seulement d'un vieux short plein de cambouis, ses cheveux longs et gris ramassés en catogan.

Il nous a regardées descendre de nos mobylettes sans dire un mot.

De son allure de vieillard christique, il émanait comme des effluves métaphysiques, un genre de détachement olympien qui me déroutait un peu, mais bon, je ne me suis pas laissé impressionner et j'y suis allée franco. Je me suis présentée, lui ai résumé mes découvertes et décrit par le menu les malheurs qui s'étaient abattus sur sa famille. J'ai parlé longtemps alors que lui restait silencieux et scrutait mon visage avec ce regard méfiant qui m'a fait me dire en deux minutes, bien qu'il ne m'ait pas confirmé son identité, que j'étais tombé sur la bonne personne tellement il ressemblait à feu sa sœur malgré ses kilos en moins et ses cinquante années de vie en Inde.

Pendant ce temps-là Juliette, qui au passage nous avait juré qu'elle s'enchaînerait à un arbre si nous la ramenions en France, s'était mise à caresser sur le seuil de la maison une bête trois fois plus grosse qu'elle avec une crête, que j'ai fini par identifier avec beaucoup de mal comme étant un sanglier indien apprivoisé. Quant à Hildegarde, elle était partie faire le tour du propriétaire avec le sans-gêne qu'on lui connaissait.

À un moment, quand j'ai eu fini de raconter mon histoire et qu'il n'avait toujours pas ouvert la bouche, j'ai fini par perdre patience :
— Vous n'avez rien à me dire ? Aucune question à me poser ? Genre *comment va maman ?* ai-je demandé sur un ton ironique.
— Comment va maman ? a-t-il répété avec un rictus mauvais.
— Elle est au bout du bout, mais elle est encore là.
— Super.
— C'est tout ?

— Vous venez chez moi, ici, en pleine forêt, me parler d'une famille à laquelle je n'ai pas pensé depuis un demi-siècle pour m'annoncer la mort de tous ses membres... C'est un peu raide, non ?

— Je reconnais, c'est raide. J'aurais dû faire preuve d'un peu plus de tact, mais ça n'est pas trop mon fort, le tact.

— C'est pas la question. Tout petit, mon frère cognait déjà sur les plus faibles pour leur prendre des trucs qu'il jetait après. Notre père était pareil. Il ne supportait pas que des gens possèdent ce qu'il n'avait pas : maîtresses, pro-priétés, entreprises, chevaux, tout y passait. Ma mère, elle, a été la gardienne jalouse de ce temple cauchemardesque. Quant à ma sœur, elle a juste essayé de se faire aimer par tous ces détraqués, mais ça ne lui a pas trop réussi parce qu'à dix-sept ans, elle faisait sa première cure de sevrage alcoolique. Pour les autres, je ne savais même pas qu'ils existaient... Non... Je trouve ça surprenant, c'est tout.

— Qu'est-ce qui est surprenant ?

— Que cinq personnes d'une même famille meurent à quelques mois d'intervalle... La Providence à bon dos, vous ne trouvez pas ?

J'aurais pu m'indigner, jouer la comédie, mais je suis restée impassible parce que je sentais que, pour une fois, il fallait que je me retienne de mentir. Alors je n'ai rien dit.

— Vous voulez l'argent, c'est ça ?

— Oui.

— Et vous en feriez quoi ?

— Des actions en justice contre les sociétés pollueuses, du lobbying politique et de la manipulation de l'opinion publique sur les réseaux sociaux. Aujourd'hui on peut faire croire aux gens à peu près n'importe quoi, c'est juste une question de moyens. Mon amie Hildegarde a eu l'idée de lancer, avec expertises scientifiques à l'appui, l'idée que la consommation d'animaux d'élevage intensif, de par les toxines qui imprègnent leur chair à cause de la souffrance qu'ils subissent toute leur vie, est la principale cause du boom de la maladie d'Alzheimer. Et si nous y mettons le paquet, au bout de quelques mois, je vous garantis qu'il restera autant de mangeurs de viande que de fumeurs. Nous ferons pareil contre la poignée d'entreprises qui sont responsables de près de 70 % du réchauffement climatique. Il y a des tas de procédures judiciaires qui sont en train de se mettre en place et ça commence à porter ses fruits, surtout contre l'agrobusiness. Leur condamnation rapporte même de l'argent. Nous irons débusquer des victimes dans le monde entier pour qu'elles se portent partie civile. Nous leur payerons les meilleurs avocats et nous achèterons les experts comme ces sociétés l'ont toujours fait. C'est l'anarchie divine telle que l'a rêvée Mère qu'on va instaurer ; vous ne pouvez pas refuser parce que c'est ce que Mère aurait voulu.

Là, il s'est mis à rire comme un fou puis a mis sa tronçonneuse en marche :

– Vous êtes une grosse maline, vous !

Et il s'est dirigé vers ma fille.

J'étais totalement paniquée et impuissante avec mes béquilles qui s'enfonçaient dans le sol meuble. Je ne pouvais pas non plus appeler Hildegarde partie trop loin et qui ne m'aurait pas entendue crier avec le bruit de l'engin.

Juliette, elle, n'avait pas peur du tout en le voyant s'approcher :

– Touche pas à cet arbre !

– Il est en train d'avancer vers ma maison avec ses lianes qui se plantent dans le sol pour faire des troncs. Pousse-toi, il faut que je l'abatte.

211

— Non !

— Pourquoi non ? C'est moi qui l'ai planté ! Y a pas de raison qu'il me vire comme ça de chez moi.

— Il fait de l'ombre et sert de maison pour les oiseaux. Toi, tu sers à rien.

— Ça, c'est pas vrai ! J'en ai planté et soigné des milliers comme celui-là.

— Oui mais maintenant ils se débrouillent tout seuls et lui, il a envie que tu le laisses aller là où il veut. Tu coupes pas, voilà, ou alors tu devras me scier avec !

Et elle s'est agrippée au tronc comme un koala.

Dix ans et déjà cinq années d'activisme avec tata Hildi.

Il a coupé son moteur et s'est tourné vers moi.

— Et ça vous est venu comment cette idée de sauver le monde ?

— En regardant passer les manifs en bas de chez moi. Je me demandais à chaque fois comment on pourrait faire pour changer vraiment les choses au lieu de prendre des initiatives qui conduisent systématiquement les gens dans la rue. Et puis, en me documentant sur notre ancêtre Auguste, je suis tombée sur une phrase de Flaubert aussi méprisante que pertinente : "Le peuple accepte tous les tyrans pourvu qu'on lui laisse le museau dans la gamelle." Chaque fois qu'on la lui retire, sa gamelle, au peuple, il gueule et descend dans les rues manifester alors que les ressources se raréfient, qu'il n'y a plus d'animaux, que les saisons se déglinguent et que la mer est pleine de plastique. On n'ira nulle part comme ça. Alors l'idée m'est venue de faire en sorte qu'il la trouve tellement dégueulasse, sa gamelle, qu'il finisse par s'en détourner ou la renverser avec son museau. Parce qu'elle l'est vraiment, dégueulasse, sauf que personne n'a envie de s'en rendre compte vu que c'est bien trop inconfortable de changer de mode de vie.

Et Hildegarde, qui entre-temps était revenue vers nous, de rajouter :

— Blanche et moi, on va faire un ravage.

Il nous a regardées toutes les trois, puis il nous a souri :

— La géante, la petite furie et la fille au corps brisé… Vous me plaisez bien, toutes les trois. Pierre de Rigny est mort il y a cinquante ans lorsqu'il a rencontré Mère et qu'il a reçu le *Darshan* pour son anniversaire. Les anciens d'ici vous feront mon attestation de décès. Et pour ce qui est de notre ancêtre commun Auguste, ça m'a bien plu tout ce que vous m'avez raconté sur lui. Si ça se trouve, il a eu une fin qui ressemble à celle que j'aurai bientôt : entourée d'arbres.

— Vous ne donnerez pas votre héritage à Auroville, alors ?

— Sûrement pas ! Je tiens beaucoup trop à cet endroit pour le pourrir avec cet argent.

Et puis il a fait comme mon père quand il voulait me signifier que la conversation était terminée, il est retourné à ses occupations et nous n'existions plus. Voilà… Voilà…

Sur le chemin du retour, Hildegarde et moi, nous ne nous sommes pas dit un mot, et puis à un moment, alors que nous nous étions arrêtées à une station pour faire le plein de nos mobylettes, j'ai rompu le silence :

— T'as pensé à ce qui serait arrivé s'il ne nous avait pas laissé l'argent ?

— Évidemment que j'y ai pensé…

— Moi aussi.

— C'est pas arrivé, alors relax.

Versailles, 20 avril 1871

Nu sous un paletot trop grand et un pantalon qu'il agrippait pour ne pas qu'il lui tombe sur les chevilles, Auguste se tenait debout en silence devant le bureau de Monsieur le chef de l'exécutif, Adolphe Thiers.

Sanglé dans sa redingote grise, ce dernier jetait de temps à autre un regard dur sur le jeune homme tout en signant les ordonnances d'un parapheur dont un secrétaire transparent tournait les pages.

— Vous pouvez remercier votre tante, une chère et bonne amie, parce que si ça n'avait tenu qu'à moi, on vous aurait passé par les armes.

Silence.

— Vous n'avez rien à dire ?

Auguste observait ses pieds noirs de crasse. La tête lui tournait et il n'avait qu'une idée, c'était se mettre en boule sur le sol et dormir.

— Eh bien non, visiblement, vous n'avez rien à dire !

Silence.

Thiers signa encore quelques papiers puis congédia d'un geste sec le secrétaire.

— Je connaissais très bien votre grand-père, vous savez… Un bon camarade… Votre frère Ferdinand lui ressemble tant… Il aurait été fier… Je n'ai pas eu d'enfant, moi…

Il soupira.

— Il aurait été fier. Oui.

Le sol avait l'air si accueillant. Il pourrait peut-être feindre un évanouissement. Il y avait même un tapis de laine épaisse. Le nabot pourrait ainsi continuer à lui faire la leçon de sa voix aigre. Il l'écouterait, oui, mais allongé sur ce sol confortable, dépourvu de rat.

— Tenir son rang... Cette expression vous parle-t-elle ? Non, n'est-ce pas !? C'est consternant !

Le 2 avril, galvanisé par sa descendance providentielle, il était parti avec ses amis fédérés à l'assaut de Versailles, mais n'ayant que peu d'expérience de la chose militaire, face à une armée de métier, la troupe avait été rapidement encerclée et faite prisonnière. Il avait assisté à l'exécution sommaire de Duval, son chef, ainsi que de nombre de ses camarades, en particulier ceux aux cheveux blancs que leurs adversaires avaient fait sortir du rang et fusillés pour être potentiellement des quarante-huitards. Il avait ensuite été promené avec les survivants dans Versailles sous les huées de la population. On lui avait craché dessus, certaines femmes lui avaient griffé le visage et l'avaient frappé à coups d'ombrelle jusqu'à la lui casser sur le dos, puis on l'avait fait s'agenouiller, comme autant de stations du calvaire, devant chaque église de la ville pour demander pardon à Dieu. On lui avait même arraché son pantalon et c'est presque nu qu'il avait été jeté dans un de ces culs-de-basse-fosse versaillais où les rois de France s'étaient débarrassés pendant des siècles de leurs opposants politiques. Depuis il y pourrissait.

Thiers, tout en réajustant machinalement les objets sur son bureau, l'observait toujours.

— Là où je n'arrivais à rien avec ces satanés Prussiens, vous les Communards, vous avez fait des prodiges. Figurez-vous qu'ils nous libèrent tous nos soldats et qu'ils nous autorisent même à dépasser le contingent fixé dans nos accords de paix. Bismarck va jusqu'à nous enjoindre de lever la plus belle armée que nous ayons jamais eue – je reprends ses termes – pour que nous vous écrasions, tellement vous le dégoûtez. Eh oui, vous êtes parvenus à répugner même les Prussiens… C'est pour dire !

Silence.

– Vous pensiez aller où avec votre bataillon d'ivrognes déguisés en soldats ? Vous vouliez envahir Versailles, c'est ça ?

Il frappa du poing sur la table :

– C'est ça ?

– Vive la Commune ! fit Auguste d'une voix si faible qu'elle semblait sortir du fond d'un puits.

Thiers souffla :

– Mais qu'est-ce qu'on va faire de vous, de Rigny ? Allez, disparaissez, vous empestez la bête crevée.

À l'issue de la Semaine sanglante, ses compagnons de cellule, s'ils n'étaient pas morts de leurs blessures ou de leur séjour en prison, furent fusillés. Pendant quelques mois il partagea, entre autres, le sort de Théophile Ferré, l'homme qui avait ordonné aux côtés de l'anarchiste Pindy la destruction de l'intégralité de l'état civil parisien. Lorsqu'il l'avait appris, Auguste avait éclaté en sanglots sans que son interlocuteur comprît vraiment pourquoi. Tous les hommes de sa cellule furent l'un après l'autre condamnés à mort et exécutés, jusqu'au mois de décembre. Quant à lui, parce que sa participation à la Commune fut déclarée mineure, il écopa de la déportation en Nouvelle-Calédonie, mais il se chuchotait déjà dans la salle d'audience qu'il était question de le débarquer en route quelque part dans un port de la France d'ailleurs. On ne savait pas encore trop où, le Sénégal, Madagascar, l'île Maurice… Ça dépendrait de la route qu'on prendrait. Quoi qu'il en soit l'idée était acquise.

Un endroit verdoyant, où la vie serait douce et où il serait en sécurité.

Tante Clothilde avait beaucoup insisté là-dessus auprès de son vieil ami.

Remerciements

L'idée de mon livre a jailli de la lecture du traité de Thomas Piketty, *Le capital au XXIe siècle*. Un ouvrage rigoureux et sans préjugés, qui m'a aidée à comprendre d'où me venait cette intuition diffuse d'après laquelle notre société du XXIe siècle ressemblerait de plus en plus à celle du XIXe.

Les événements historiques tels que décrits et commentés par mes personnages sont un mélange de mes lectures, d'articles parus dans les journaux de l'époque, de mon imagination, mais surtout de mon ignorance.
Une mention spéciale pour le fantastique livre de Paul Lidsky : *Les écrivains contre la Commune*, lisez-le, prêtez-le ; c'est génial ! Et également un grand remerciement à l'association des Amis de la Commune de Paris et notamment à John Sutton qui a aiguillé mes lectures.

Pour le remplacement militaire proprement dit, la bible : *Le remplacement militaire en France. Quelques aspects politiques, économiques et sociaux du recrutement au XIXe siècle* de Bernard Schnapper. Ainsi que le Journal *L'Assurance* qui est paru de la réforme du remplacement militaire de 1868 à la déclaration de guerre contre la Prusse.

Pour ce qui est des frasques de Philippe de Rigny et de son méroxage en pleine mer, je dois tout à l'ouvrage de Bernard Dussol et Charlotte Nithart – *Le cargo de la honte. L'effroyable odyssée du Probo Koala*, où on apprend que la réalité dépasse la fiction et que les écrivains sont des petits bras lorsqu'il s'agit de décrire l'avidité. Lisez-le et indignez-vous.

Un remerciement particulier à l'association Robin des Bois pour leur travail de traçage des ruines flottantes qui continuent à transporter des produits polluants sur les mers, leur recensement méthodique des sites pollués et des espèces menacées.

Pour ce qui est de la réflexion politique à propos de l'art contemporain et l'éducation populaire, les conférences tant clairvoyantes que gesticulées de Franck Lepage ont été d'une grande inspiration. À voir sur *YouTube*.

À voir également : *La Commune (Paris, 1871)* de Peter Watkins, film de 5 h 30, et *La Forteresse assiégée* de Gérard Mordillat, avec l'intervention, entre autres, de Frédéric Gros, l'auteur du livre *Désobéir*, qui m'a également servi d'inspiration.

Remerciements également à mes relecteurs, Antony et Jean, toujours fidèles à leur poste et qui, avec leur lecture patiente, mot par mot, me permettent d'oublier que j'ai eu le tiers temps au bac... Et à Danièle D'Antoni, mon agent, qui voudrait changer le monde grâce à la stricte application du droit et dont le rêve m'a inspiré la fin de ce roman.

Bonjour, nous vous remercions d'avoir acheté ce livre et nous aimerions pouvoir vous connaître mieux, lire vos commentaires sur nos publications, vous informer de nos nouveautés, vous offrir la primeur des premiers chapitres de nos textes à paraître, vous prévenir quand nous organisons une rencontre près de chez vous. Pour ce faire il vous suffit de nous envoyer votre mail et la ville dans laquelle vous habitez à : **redaction@metailie.fr**.

Rappelons aussi qu'en scannant le QR code ci-dessous ou en entrant **metailie.premierchapitre.fr** dans la barre d'adresse de votre navigateur (sur ordinateur, tablette ou smartphone), vous accédez directement aux derniers extraits de nos nouveautés à paraître. Gardez cette adresse dans vos favoris ou sur l'écran d'accueil de votre smartphone et vous serez constamment à la page !

Cet ouvrage a été composé par
Facompo
à Lisieux (Calvados)

ACHEVÉ D'IMPRIMER SUR ROTO-PAGE
PAR L'IMPRIMERIE FLOCH À MAYENNE
EN JUIN 2020

N° d'édition : 0550002 – N° d'impression : 96299
Dépôt légal : mars 2020

Imprimé en France